A-Z NORTHAMPTON & WELLINGBOROUGH

C000129213

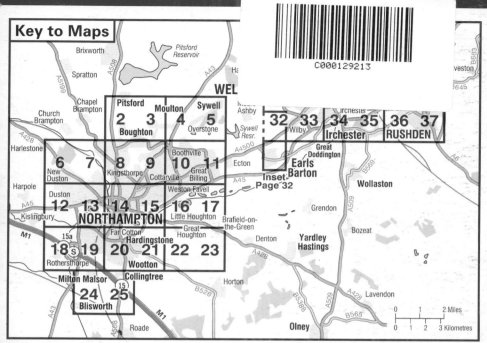

Key to Maps

Reference

Motorway	M1
A Road	A428
Proposed	
B Road	B526
Dual Carriageway	
One Way Street *Traffic flow on A roads is indicated by a heavy line on the driver's left.*	
Restricted Access	
Pedestrianized Road	
Track & Footpath	
Residential Walkway	

Railway Level Crossing Station	
Built Up Area	WEST ST.
Local Authority Boundary	
Postcode Boundary	
Map Continuation	8
Car Park Selected	P
Church or Chapel	†
Fire Station	■
Hospital	H
Information Centre	i
National Grid Reference	475

Police Station	▲
Post Office	★
Toilet with facilities for the Disabled	▽ ♿
Educational Establishment	
Hospital or Hospice	
Industrial Building	
Leisure or Recreational Facility	
Place of Interest	
Public Building	
Shopping Centre or Market	
Other Selected Buildings	

Scale 1:15,840

0 ¼ ½ Mile
0 250 500 750 Metres 1 Kilometre

4 inches (10.16 cm) to 1 mile
6.31cm to 1kilometre

Copyright of Geographers' A-Z Map Company Limited

Head Office :
Fairfield Road, Borough Green, Sevenoaks, Kent TN15 8PP
Telephone 01732 781000 (General Enquiries & Trade Sales)

Showrooms :
44 Gray's Inn Road, London WC1X 8HX
Telephone 020 7440 9500 (Retail Sales)

www.a-zmaps.co.uk

Ordnance Survey® This product includes mapping data licensed from Ordnance Survey® with the permission of the Controller of Her Majesty's Stationery Office.
© Crown Copyright 2003. Licence number 100017302

Edition 3 2000   Edition 3b 2003 (part revision)
Copyright © Geographers' A-Z Map Co. Ltd. 2003

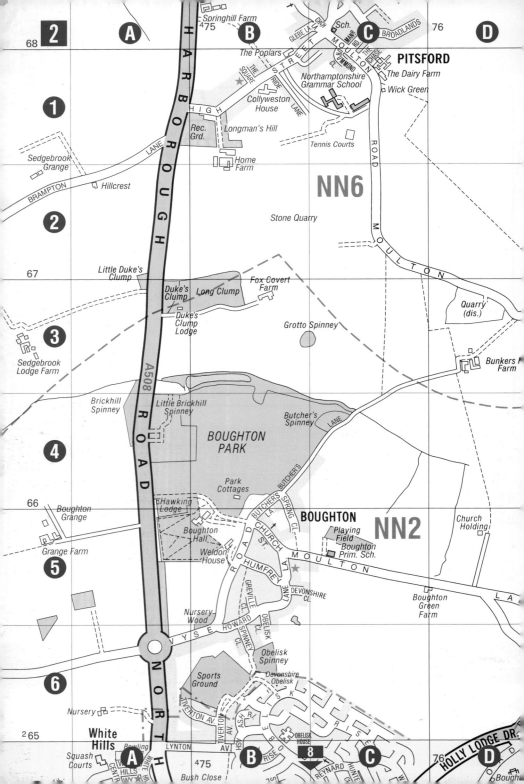

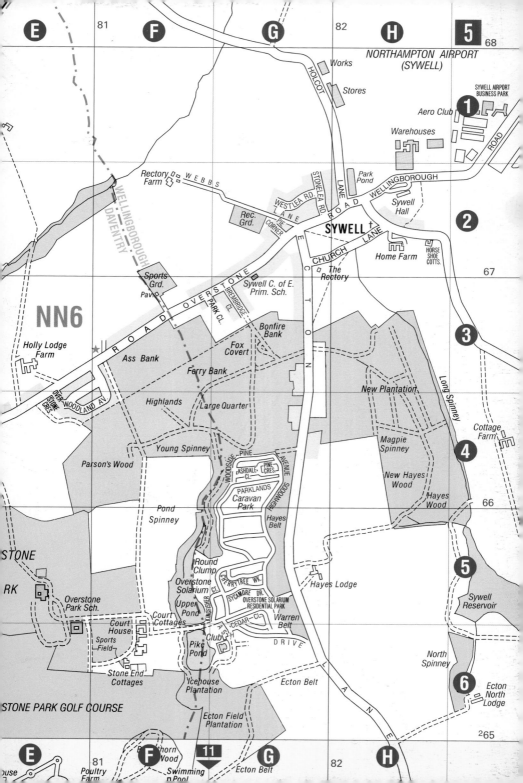

NORTHAMPTON AIRPORT
(SYWELL)

Works

Stores

SYWELL AIRPORT
BUSINESS PARK

Aero Club   **1**

Warehouses

ROAD

Park Pond

Rectory Farm

WEBBS LANE

STONELEA RD.

WESTLEA RD.

PIE CORNER

HOLCOT

Rec. Grd.

WELLINGBOROUGH

Sywell Hall

2

67

SYWELL †

CHURCH LANE

Home Farm

HORSE SHOE COTTS.

STONELEA RD.

LANE ROAD

Sports Grd.
Pav.

BROMBRIDGE CL.

Sywell C. of E.
Prim. Sch.

The Rectory

NN6

OVERSTONE ROAD

PARK CL.

Bonfire Bank

Fox Covert

3

OVERSTONE

Holly Lodge Farm

Ass Bank

Ferry Bank

New Plantation

Long Spinney

WOODLAND AV.

OVERSTONE CRES.

Highlands

Large Quarter

Magpie Spinney

Cottage Farm

4

Young Spinney

WOODSIDE

PINE CL.

ASHDALE CL.

PINE CRES.

AVENUE

HIGHWOODS

New Hayes Wood

Hayes Wood

66

Parson's Wood

PARKLANDS

Caravan Park

Hayes Belt

Pond Spinney

Round Clump

Overstone Solarium

CRABTREE WK.

Hayes Lodge

5

STONE

RK

Overstone Park Sch.

KINGFISHER CL.

SYCAMORE DR.

OVERSTONE SOLARIUM RESIDENTIAL PARK

Sywell Reservoir

Upper Pond

CEDAR CL.

Warren Belt

Court House

Court Cottages

Club

D R I V E

North Spinney

Sports Field

Pike Pond

6

Stone End Cottages

Ycehouse Plantation

Ecton Belt

Ecton North Lodge

STONE PARK GOLF COURSE

Ecton Field Plantation

A N E

265

Poultry Farm

Blackthorn Wood

Swimming Pool

Ecton Belt

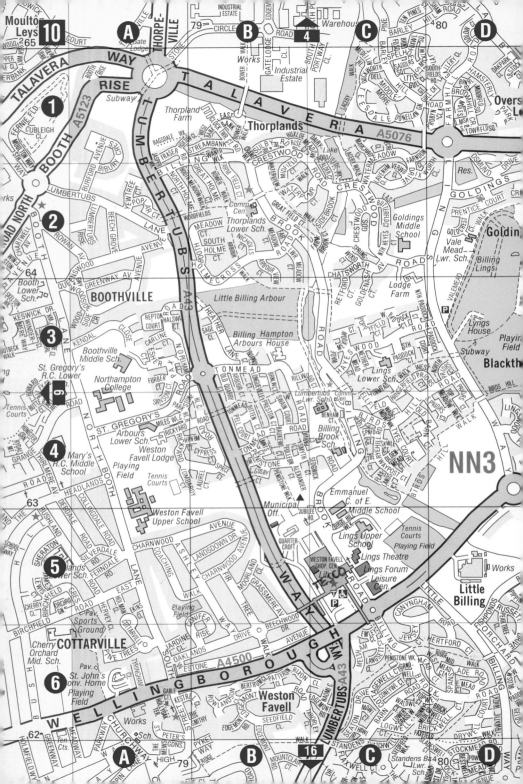

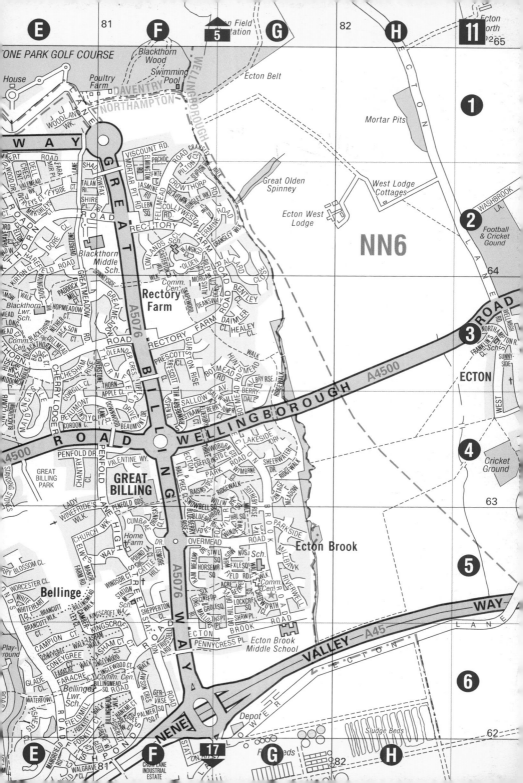

E   F   Y   11   G   H   17   62

82   Sludge Beds

WATERFOWL   Lwr. Sch.   81
FISHPOND

FIELDMILL   HAREM CT.   LOWER   ECTON LA.

FOXSTI CT.   PALME SQ.

WALK   STATION RD.   Filter Beds

CROW LANE   Factory

CROW LANE INDUSTRIAL ESTATE   Filter Beds   1

WAY   JACKDAW   CL.

MANORFIELD CL.   RAVENS   Sewage Works

WALGRAVE   2

A45   FISHERS   CROW   LANE   THE CROW LANE   Works   Lake

Swimming Pools   Lake   Lake

Boathouse   Works

Lake   Slipway   Lake   Lake   WELLINGBOROUGH   NORTHAMPTON

Playground   Lake   Jetties

BILLING   Weir   Museum   Mill   Towing   Path   61

AQUADROME   Lock   Stream   Billing Wharf

NORTHAMPTON   Billing Wharf

The Cliffs   STATION   Rectory Farm   NENE

SOUTH NORTHAMPTONSHIRE   GLEBE   GLEBE WAY   ST. PETERS WY.   WHALLEY   GROVE

NE   Clifford Hill   RD.   BURMANS WY.   RISE   CORNKIN CL.   3

rd Hill   Smallholding   ROAD   ROAD

ill   STATION   COGENHOE   BRAMLEY CL.   ORCHARD   WAY   YORK AV.

SPORTSMANS CL.   VICTORIA CL.   PIPPIN RD.   Cogenhoe Primary School

STATION   ROAD

BILLING   ROAD   ROAD   4

NN7   Cogenhoe Park
Cogenhoe United Football Club   260

ROAD

5

ond   Coney Gree Plantation   BRAFIELD   Sewage Filter Tanks

e Houghton   ouse

Little   6
oughton   C. of E.   mary School

ROAD

A428   59

Subway   ROAD   CARES ORCHARD   ST. THOMAS RD.   Lower End   Church Farm   The Old Farm

LONG ACRE   GROVE RD.   OWEN CT.   Glebe Farm   GREEN

Home Farm   BRIDLE PATH   LA.

E   81   F   23   G   H   82

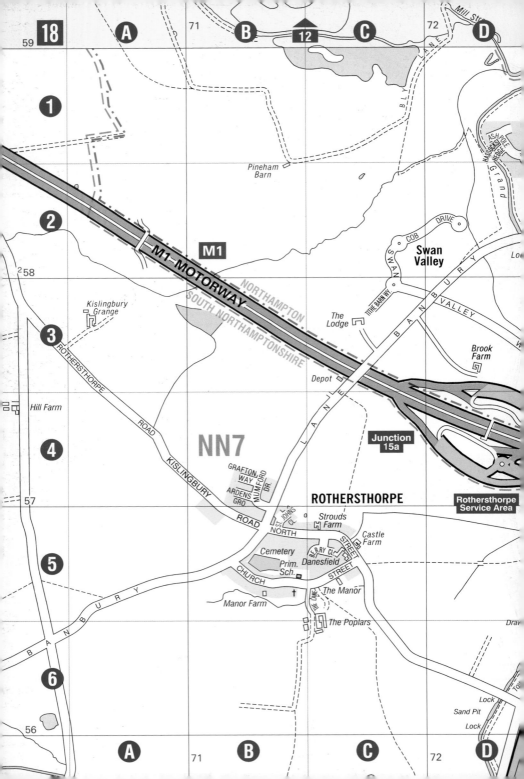

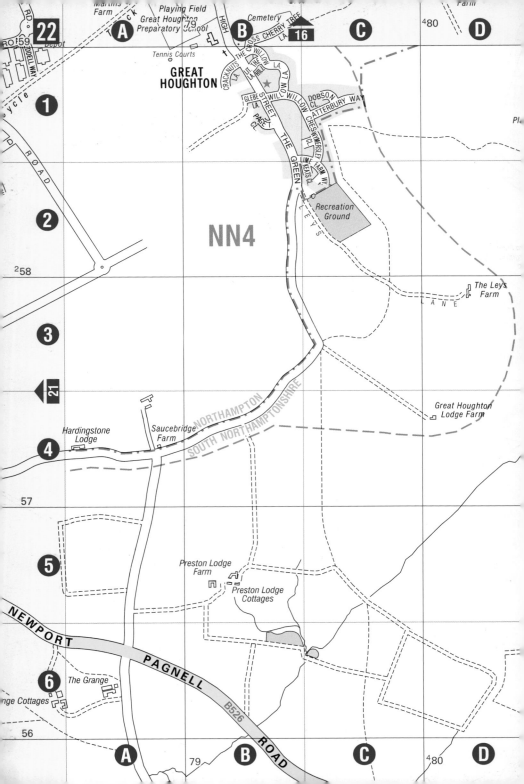

A   73   B   🏠 19   C   74   D

56

🅰️43

BLISWORTH & MILTON MALSOR BY-PASS

1 Depot

Home Farm

Stockwell Farm

LOWER ROAD

THE MALTINGS

ST

GREEN ST

MALZOR LA

ORCHARD CL

STOCKWELL RD

STOCKWELL WY

† CHURCH CL

COLLINGTREE

Rec. Grd.

Maple

R

Gaytonway

Parley Pole

Woodbury

Prim. Sch.

HIGH

MILTON CT.

GREEN

Pav.

Playing Field

RECTORY

MILTON MALSOR

2

²55

Deveron House

TOWCESTER ROAD

BARN LANE

3

JOHN BOWEN JONES BUSINESS PARK

Lodge Farm

NORTHAMPTON

NN7

Nursery

Abattoir

Nursery

LANE

4

STATION ROAD

Railway Cottages

Grand Union Canal

Towing Path

54

5

CHAPEL

BANK

POND

GAYTON

WEST BROOK

LITTLE LA.

LANE

STREET

Cliff Hill Farm

Playing Field

Milton Crossing

COURTEEN

BLISWORTH

Blisworth Lodge

Prim. Sch.

EASTFIELD

HOME CL.

WINDMILL AV.

WELL SPRING

CONNEGAR

GREENAWAY CL.

LEYS

HALL

MEADOW

† Church

STOKE

GREENSIDE CT.

GREENSIDE

Rec. Grd.

HIGH

ROAD

6

53

ROAD

Stone Works Farm

A   73   B   C   74   D

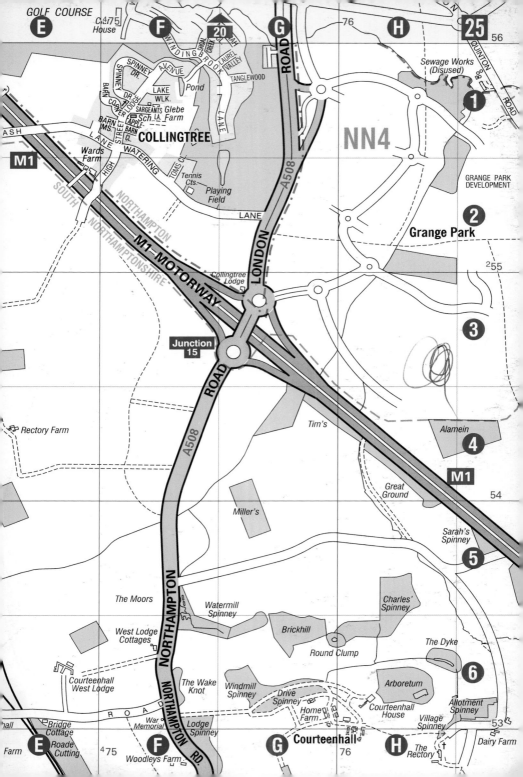

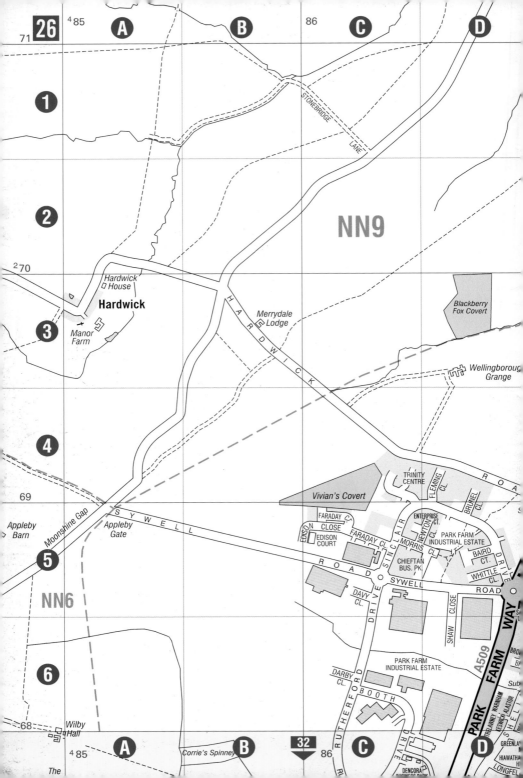

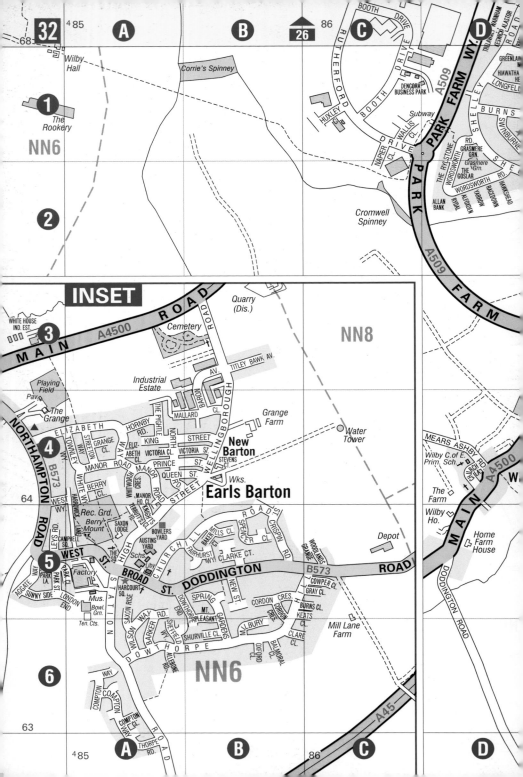

INDEX

Including Streets, Industrial Estates and Selected Flats & Walkways

HOW TO USE THIS INDEX

1. Each street name is followed by its Posttown or Postal Locality and then by its map reference; e.g. Abbey Rd. *Well* . . . .2H **33** is in the Wellingborough Posttown and is to be found in square 2H on page **33**. The page number being shown in bold type.
A strict alphabetical order is followed in which Av., Rd., St., etc. (though abbreviated) are read in full and as part of the street name; e.g. Ash Clo. appears after Ashby Gdns. but before Ashcroft Clo.

2. Streets and a selection of Subsidiary names not shown on the Maps, appear in the index in Italics with the thoroughfare to which it is connected shown in brackets; e.g. *Adelaide Ter. North* . . . .1B **14** (off Barrack Rd.)

GENERAL ABBREVIATIONS

All : Alley	Cotts : Cottages	La : Lane	Ri : Rise
App : Approach	Ct : Court	Lit : Little	Rd : Road
Arc : Arcade	Cres : Crescent	Lwr : Lower	Shop : Shopping
Av : Avenue	Cft : Croft	Mc : Mac	S : South
Bk : Back	Dri : Drive	Mnr : Manor	Sq : Square
Boulevd : Boulevard	E : East	Mans : Mansions	Sta : Station
Bri : Bridge	Embkmt : Embankment	Mkt : Market	St : Street
B'way : Broadway	Est : Estate	Mdw : Meadow	Ter : Terrace
Bldgs : Buildings	Fld : Field	M : Mews	Trad : Trading
Bus : Business	Gdns : Gardens	Mt : Mount	Up : Upper
Cvn : Caravan	Gth : Garth	N : North	Va : Vale
Cen : Centre	Ga : Gate	Pal : Palace	Vw : View
Chu : Church	Gt : Great	Pde : Parade	Vs : Villas
Chyd : Churchyard	Grn : Green	Pk : Park	Wlk : Walk
Circ : Circle	Gro : Grove	Pas : Passage	W : West
Cir : Circus	Ho : House	Pl : Place	Yd : Yard
Clo : Close	Ind : Industrial	Quad : Quadrant	
Comn : Common	Junct : Junction	Res : Residential	

POSTTOWN AND POSTAL LOCALITY ABBREVIATIONS

Abing : Abington	*Far C* : Far Cotton	*K'thpe* : Kingsthorpe	*Roth* : Rothersthorpe
Blis : Blisworth	*Fin* : Finedon	*Kis* : Kislingbury	*Roth A* : Rothersthorpe Avenue Ind. Est.
Bou : Boughton	*Fin R* : Finedon Road Ind. Est.	*Knu* : Knuston	*Rou S* : Round Spinney Ind. Est.
Brac I : Brackmills Ind. Est.	*Graf S* : Grafton Street Ind. Est.	*L Bil* : Little Billing	*Rush* : Rushden
Braf G : Brafield on the Green	*Gt Bil* : Great Billing	*L Hou* : Little Houghton	*St James* : St James Bus. Pk.
Chap B : Chapel Brampton	*Gt Dod* : Great Doddington	*L Irch* : Little Irchester	*Sem* : Semilong
Clif : Cliftonville	*Gt Har* : Great Harrowden	*Lodge F* : Lodge Farm Ind. Est.	*Spin H* : Spinney Hill
Cog : Cogenhoe	*Gt Hou* : Great Houghton	*Mil M* : Milton Malsor	*Swan V* : Swan Valley
Col : Collingtree	*Hard* : Hardingstone	*Moul* : Moulton	*Syw* : Sywell
Cour : Courteenhall	*Harl* : Harlestone	*Moul P* : Moulton Park	*Upton* : Upton
Crow L : Crow Lane Ind. Est.	*Harp* : Harpole	*Moul I* : Moulton Park Ind. Est.	*Wee R* : Weedon Road Ind. Est.
Dal : Dallington	*High F* : Higham Ferrers	*New D* : New Duston	*Well* : Wellingborough
Del : Delapre	*Hort* : Horton	*North* : Northampton	*West I* : Westgate Ind. Est.
Den I : Denington Ind. Est.	*Irch* : Irchester	*Over* : Overstone	*Wilby* : Wilby
Dus : Duston	*Irth* : Irthlingborough	*Park F* : Park Farm Ind. Est.	*Woot* : Wootton
Earls B : Earls Barton	*K Hth* : Kings Heath Ind. Est.	*Pit* : Pitsford	*Wym* : Wymington
Ecton : Ecton		*Riv B* : Riverside Bus. Pk.	

A

Abbey Lodge. *North*	2H **15**
Abbey Rd. *North*	6A **14**
Abbey Rd. *Well*	2H **33**
Abbey St. *North*	3H **13**
Abbey Way. *Rush*	5E **37**
Abbots Way. *North*	3G **13**
Abbots Way. *Well*	1H **33**
Abbotts Way. *Rush*	4D **36**
Aberdare Rd. *North*	1H **13**
Abington Av. *North*	1E **15**
Abington Cotts. *North*	1F **15**
Abington Ct. *North*	6G **9**
Abington Gro. *North*	1E **15**
Abington Pk. Cres. *North*	2G **15**
Abington Pl. *North*	3D **14**
Abington Sq. *North*	3C **14**
Abington St. *North*	3C **14**
Abthorpe Av. *North*	2C **8**
Acre La. *North*	2G **7**
Adams Av. *North*	2E **15**
Adams Clo. *Well*	6B **28**
Addington Rd. *Irth*	1D **30**
Addison Rd. *North*	5G **9**
Addlecroft Clo. *North*	4A **8**
Adelaide Pl. *North*	4B **14**
Adelaide St. *North*	2B **14**
Adelaide Ter. North	1B **14**
(off Barrack Rd.)	
Adit Vw. *Irth*	3C **30**
Adnitt Rd. *North*	2E **15**
Adnitt Rd. *Rush*	3E **37**
Agnes Rd. *North*	1B **14**
Ainsdale Clo. *North*	4E **9**
Aintree Rd. *North*	3E **9**
Alastor. *Well*	6D **26**

Albany Rd. *North*	2F **15**
Albert Pl. *North*	3C **14**
Albert Rd. *Rush*	3F **37**
Albert Rd. *Well*	5B **28**
Albion Ct. *North*	4C **14**
Albion Pl. *North*	4C **14**
Albion Pl. *Rush*	4F **37**
Alcombe Rd. *North*	2C **14**
Alcombe Ter. *North*	2D **14**
Alder Ct. *North*	2C **10**
Alderley Clo. *North*	1C **12**
Aldwell Clo. *Woot*	4E **21**
Alexander Ct. *North*	4B **10**
Alexandra Rd. *North*	3D **14**
Alexandra Rd. *Well*	5B **28**
Alexandra Ter. *North*	4B **8**
Alfoxden. *Well*	2D **32**
Alfred St. *Irch*	5G **35**
Alfred St. *North*	3E **15**
Alfred St. *Rush*	3F **37**
Alibone Clo. *Moul*	4A **4**
Allan Bank. *Well*	2D **32**
Allard Clo. *North*	2G **11**
Allebone Rd. *Earls B*	6A **32**
Allen Rd. *Irth*	2C **30**
Allen Rd. *North*	2E **15**
Allen Rd. *Rush*	2G **37**
Alley Yd. *North*	3B **14**
Alliance Ter. *Well*	6A **28**
Alliston Gdns. *North*	2B **14**
Alma St. *North*	3H **13**
Alma St. *Well*	6A **28**
Alpine Rd. *Rush*	3D **36**
Alpine Way. *North*	4B **6**
Alsace Clo. *North*	6A **6**
Althorp Clo. *Well*	4E **27**
Althorp Rd. *North*	3H **13**
Althorp St. *North*	3B **14**
Alton St. *North*	6A **14**

Alvis Ct. *North*	3F **11**
Ambleside Clo. *North*	3H **9**
Ambleside Clo. *Well*	6E **27**
Ambridge Clo. *North*	3G **19**
Ambush St. *North*	3A **14**
Anderson Grn. *Well*	1E **33**
Andrew Clo. *High F*	4G **31**
Angel La. *Well*	1A **34**
(off Silver St.)	
Angel St. *North*	4B **14**
Anglia Way. *Moul I*	2E **9**
Anjou Ct. *New D*	5A **6**
Anne Clo. *High F*	4G **31**
Anne Rd. *Well*	3G **33**
Annesley Clo. *North*	3A **16**
Ansell Way. *Hard*	3D **20**
Applebarn Clo. *Col*	1F **25**
Appleby Clo. *Well*	2H **27**
Appleby Wlk. *North*	3H **9**
Appledore Clo. *North*	3B **8**
Aquitaine Clo. *North*	6A **6**
Arbour Ct. *North*	3B **10**
Arbour Vw. Ct. *North*	2B **10**
Arbour Wlk. *North*	2B **10**
Archangel Rd. *North*	1F **19**
Archangel Sq. *North*	1G **19**
Archers Clo. *North*	2A **8**
Archfield. *Well*	1H **33**
Archfield Ter. Irth	1D **30**
(off Lilley Ter.)	
Archway Cotts. *North*	1F **15**
Ardens Gro. *Roth*	4B **18**
Ardington Rd. *North*	2F **15**
Argyle St. *North*	3H **13**
Arkwright Rd. *Irch*	5H **35**
Arbury Rd. *North*	3D **10**
Arndale. *North*	2G **7**
Arnold Rd. *North*	1B **14**

Arnsby Cres. *Moul*	4G **3**
Arrow Head Rd. *North*	6G **13**
Arthur St. *North*	6B **8**
Arthur St. *Well*	1G **33**
Arthur Ter. *North*	6B **8**
Artizan Rd. *North*	2E **15**
Arundel Ct. *Rush*	5E **37**
Arundel St. *North*	2B **14**
Ashbrow Rd. *North*	6G **13**
Ashburnham Rd. *North*	1E **15**
Ashby Clo. *Well*	4F **27**
Ashby Ct. *Moul*	4H **3**
Ashby Dri. *Rush*	5E **37**
Ashby Gdns. Moul	4H **3**
(off Ashby Ct.)	
Ashby La. *North*	6G **35**
Ashcroft Clo. *North*	6C **6**
Ashcroft Gdns. *North*	5F **9**
Ashdale Clo. *Syw*	4G **5**
Ash Dri. *Syw*	6G **5**
Ashes, The. *Woot*	5G **21**
Ashfield Rd. *Well*	1G **33**
Ashford Clo. *North*	3H **15**
Ash Gro. *North*	1A **8**
Ash La. *Col*	1E **25**
Ashley La. *Moul*	4A **4**
Ashley Way. *North*	5A **10**
Ashpole Spinney. *North*	1D **18**
Ashridge Clo. *Rush*	5E **37**
Ash Ri. *North*	6B **2**
Ash St. *North*	2B **14**
Ashton Gro. *Well*	3F **27**
Ashtree Way. *North*	2D **12**
Ashwell Rd. *Rush*	3H **37**
Ashwood Rd. *North*	2D **12**
Askham Av. *Well*	4G **33**
Aspen Clo. *North*	4F **11**
Aspen Clo. *Rush*	2F **37**
Aster Clo. *North*	3H **15**

Aston Ri. *North* 1C **12**
Atterbury Way. *Gt Hou* 1C **22**
Attlee Clo. *North* 3G **9**
Attley Ct. *Well* 6E **27**
Auctioneers Ct. *North* 5C **14**
Auctioneers Way. *North* 5C **14**
Augusta Av. *Irch* 5A **36**
Austin Clo. *Irch* 5A **36**
Austin St. *North* 2C **14**
Austins Yd. *Earls B* 5A **32**
Avebury Way. *North* 3A **20**
Avenue Rd. *Well* 6A **28**
Avenue, The. *Clif* 4E **15**
Avenue, The. *Dal* 2G **13**
Avenue, The. *Moul* 5B **4**
Avenue, The. *Moul* 1G **7**
Avenue, The. *Spin H* 4F **9**
Avenue, The. *Well* 5A **28**
Aviemore Gdns. *North* 2F **19**
Avignon Clo. *New D* 5B **6**
Avon Clo. *Well* 5E **27**
Avon Dri. *North* 6F **7**
Axehead Rd. *North* 5G **13**
Aynho Cres. *North* 2B **8**
Aynho Wlk. *North* 2C **8**
Azalea Clo. *North* 3A **16**

B

Back La. *Hard* 3E **21**
Badby Clo. *North* 3D **8**
Badgers Wlk. *North* 2A **8**
Bailey Ct. *High F* 6F **31**
Bailiff St. *North* 2B **14**
Baird Av. *Upton* 5E **13**
Baird Ct. *Park F* 5D **26**
Baker Cres. *Irch* 5G **35**
Baker Ri. *North* 2B **8**
Baker St. *Irth* 2C **30**
Baker St. *North* 1B **14**
Baker St. *Well* 6A **28**
Bakewell Clo. *North* 3G **19**
Baldwin Clo. *North* 3G **9**
Balfour Rd. *North* 6B **8**
Balham Clo. *Rush* 5D **36**
Balland Way. *Woot* 4E **21**
Ballantyne. *Rush* 4E **37**
Balmoral Av. *Rush* 2G **37**
Balmoral Clo. *Earls B* 6B **32**
Balmoral Clo. *North* 4G **33**
Balmoral Rd. *North* 6B **8**
Banbury Clo. *North* 1E **19**
Banbury Clo. *Well* 4G **33**
Banbury La. *Roth & North* ...6A **18**
Bankside. *North* 4E **9**
Banks, The. *Well* 2H **27**
Bank Vw. *North* 4A **20**
Bants La. *North* 2E **13**
    (in two parts)
Baring Rd. *North* 2H **13**
Barker Clo. *Rush* 3F **37**
Barker Rd. *Earls B* 6A **32**
Barley Hill Rd.*North* 6C **4**
    (in two parts)
Barley La. *North* 2A **8**
Barlow La. *Moul* 4H **3**
Barnard Clo. *North* 1C **12**
Barn Corner. *Col* 1F **25**
Barnet Clo. *North* 1H **19**
Barnet's Stile. *North* 4B **8**
Barnfield Clo. *North* 3A **8**
Barnhill Sq. *North* 1D **10**
Barn La. *Mil M* 2C **24**
Barn M. *Col* 1F **25**
Barn Owl Clo. *North* 3H **19**
Barnstaple Clo. *North* 2B **16**
Barn Way. *Lodge F* 4C **6**
Barnwell Dri. *Rush* 5E **37**
Barnwell Gdns. *Well* 4F **27**
Barnwell Rd. *North* 3C **8**
Barnwell Rd. *Well* 4F **27**
Baron Av. *Earls B* 4B **32**
Baronson Gdns. *North* 1E **15**
Barons Way. *North* 3H **7**
Barrack Rd. *North* 2B **14**
Barret Clo. *North* 1E **33**
Barrett Clo. *High F* 6F **31**
Barringers Ct. *Irch* 4H **35**
Barringers Gdns. *Irch* 4H **35**
Barrington Rd. *Rush* 5G **37**
Barry Rd. *North* 2F **15**
Bartons Clo., The. *North* 6G **7**
Barwick Ho. *Rush* 3E **37**
Basil Clo. *North* 5C **20**
Bassett's Ct. *Well* 1H **33**
Bates Clo. *High F* 6F **31**
Baukewell Ct. *North* 4B **10**
Baunhill Clo. *North* 2A **16**
Baxter Ct. *Hard* 3E **21**

Beacon Ct. *North* 6F **13**
Beaconsfield Pl. *North* 2F **37**
Beaconsfield Ter. *North* 2C **14**
Beaconsfield Ter. *Rush* 2F **37**
Beaufort Dri. *North* 6D **6**
Beaumaris Clo. *Rush* 4G **37**
Beaumont Ct. *North* 3B **14**
    (off Simon's Wlk.)
Beaumont Dri. *North* 4E **11**
Beaune Clo. *North* 6A **6**
Beauvais Ct. *North* 5A **6**
Beck Ct. *Well* 5F **27**
Becket Way. *North* 2G **9**
Bective Rd. *North* 4B **8**
Bedale Rd. *Well* 5A **28**
Beddoes Clo. *Woot* 5E **21**
Bede Clo. *High F* 6G **31**
Bedford Mans. *North* 4C **14**
    (off Derngate)
Bedford Pl. *North* 4C **14**
Bedford Rd. *North & L Hou* ..4D **14**
Bedford Rd. *Rush* 4G **37**
Beech Av. *North* 5F **9**
Beech Cres. *Irch* 6G **35**
Beechcroft Gdns. *North* 5F **9**
Beech Dri. *Well* 6G **27**
Beech Gro. *North* 2A **10**
Beech Rd. *Rush* 1F **37**
Beechwood Dri. *North* 6B **10**
Beechwood Rd. *North* 2D **12**
Beeston Av. *North* 1C **16**
Belfield Clo. *North* 4G **9**
Belfry La. *Col* 6A **20**
Bell Ct. *Well* 6A **28**
    (off Bell St.)
Bellropes Sq. *North* 5G **11**
Bell St. *Well* 6A **28**
Belstead Rd. *North* 3A **16**
Belton Clo. *North* 3B **20**
Belvedere Clo. *North* 2G **13**
Belvoir Clo. *North* 6C **6**
Belvoir Clo. *Rush* 5G **37**
Bembridge Dri. *North* 6A **8**
Benedict Clo. *Rush* 5D **36**
Bengeworth Ct. *Well* 6A **28**
Benjamin Sq. *North* 1G **19**
Bentley Clo. *North* 3G **11**
Bentley Ct. *Fin R* 2B **28**
Bergerac Clo. *New D* 5A **6**
Berkeley Clo. *North* 3E **15**
Berkeley Houses. *North* 3B **14**
    (off Horsemarket)
Bern Links. *North* 6H **13**
Bern Side. *North* 6H **13**
Berrill St. *Irch* 6G **35**
Berry Clo. *Earls B* 4A **32**
Berry Clo. *Roth* 5C **18**
Berrydale. *North* 4G **11**
Berry La. *Woot* 6C **20**
Berrymoor Ct. *Well* 3G **33**
Berrymoor Rd. *Well* 4G **33**
Berrywood Rd. *North* 1A **12**
Bertrum Clo. *North* 6B **10**
Berwick Ho. *North* 2C **8**
Bestwell Ct. *North* 1D **16**
Betony Wlk. *Rush* 5F **37**
Bevan Clo. *Fin R* 4C **28**
Beverley Cres. *North* 6G **9**
Bewick Rd. *North* 2B **16**
Bibury Clo. *Well* 4F **33**
Bibury Cres. *North* 2A **10**
Bidders Clo. *North* 5C **14**
Bideford Clo. *North* 2A **16**
Billing Brook Rd. *North* 2A **10**
Billing La. *Over & North* 5C **4**
Billingmead Sq. *North* 6F **11**
Billingmead Wlk. *Gt Bil* 5E **11**
Billing Rd. *North* 4C **14**
Billing Rd. *North* 3D **14**
Billing Rd. E. *North* 3G **15**
Billington St. *North* 2E **15**
Bilsdon Clo. *Rush* 5D **36**
Bilton Ct. *Well* 6F **27**
Birchall Rd. *Rush* 3D **36**
Birch Barn La. *North* 2H **7**
Birch Barn Way. *North* 2A **8**
Birchfield Ct. *North* 6G **9**
Birchfield Cres. *North* 5H **9**
Birchfield Rd. *North* 1E **15**
Birchfield Rd. *Well* 1F **33**
Birchfield Rd. E. *North* 6F **9**
Birch Rd. *Rush* 3G **37**
Birds Hill Rd. *North* 4C **10**
Birds Hill Wlk. *North* 5C **10**
    (in two parts)
Birkdale Clo. *North* 4E **9**
Bishops Dri. *North* 4A **8**
Bitten Ct. *North* 4B **10**

Blackberry La. *North* 6G **13**
Blackfriars. *Rush* 4D **36**
Black Lion Hill. *North* 4A **14**
Blackthorn Bri. Ct. *North* ...3E **11**
Blackthorn Rd. *North* 3E **11**
Blackthorn Wlk. *North* 4E **11**
    (in two parts)
Blackwell Hill. *North* 3G **19**
Blackymore La. *Woot* 6C **20**
Bladon Clo. *North* 2H **9**
Blakesley Clo. *North* 2B **8**
Blake Wk. *High F* 6E **31**
Blaydon Wlk. *Well* 4G **27**
Bledlow Ri. *North* 3G **19**
Blenheim Clo. *Rush* 4E **37**
Blenheim Rd. *North* 1A **20**
Blenheim Rd. *Well* 4F **27**
Blinco Rd. *Rush* 3G **37**
Blisworth & Milton Malsor By-Pass.
    Roth & North 6D **18**
Bloomfield Clo. *Rush* 3E **37**
Blossac Ct. *North* 6A **6**
Blossom Way. *L Bil* 6D **10**
Bluebell Clo. *North* 3H **15**
Blue Bell Pk. *Moul* 4H **3**
Bluebell Ri. *Rush* 5G **37**
Blueberry Ri. *North* 5F **11**
Bly La. *North* 4C **12**
Boarden Clo. *Moul I* 6F **3**
Board St. *Irth* 1D **30**
Bobtail Ct. *North* 6D **6**
Bollinger Clo. *North* 6A **6**
Bondfield Av. *North* 4C **8**
Booth Dri. *Park F* 1C **32**
Booth La. N. *North* 2H **9**
Booth La. S. *North* 4A **10**
Booth Mdw. Ct. *North* 2B **10**
Booth Mdw. Wlk. *North* 2A **10**
Booth Ri. *North* 2H **9**
    (in two parts)
Bordeaux Clo. *North* 6A **6**
Borough Ct. *High F* 6F **31**
Borrowdale Wlk. *North* 3H **9**
Bostock Av. *North* 2E **15**
Bosworth Clo. *North* 2H **19**
Botmead Rd. *North* 3F **11**
Bouganvillea Dri. *North* 3H **15**
Boughton Dri. *Rush* 5D **36**
Boughton Fair La. *Moul* 2G **3**
Boughton Grn. Rd. *North & Moul P*
    ....3B **8**
Boughton La. *Moul* 6E **3**
Boughton Rd. *Moul* 5E **3**
Boundary Av. *North* 3C **36**
Bourne Clo. *Well* 5E **27**
Bourne Cres. *North* 6F **7**
Bourton Clo. *North* 3G **19**
Bourton Way. *Well* 5G **33**
Bouverie Rd. *Hard* 3E **21**
Bouverie St. *North* 3E **15**
Bouverie Wlk. *North* 3E **15**
Bow Ct. *North* 6F **13**
Bowden Rd. *North* 3H **13**
Bower Wlk. *North* 1B **10**
    (in three parts)
Bowlers Yd. *Earls B* 5A **32**
Bowmans Clo. *North* 2E **19**
Bowness. *Well* 6E **27**
Bowthorpe Clo. *North* 3A **16**
Brackenfield Sq. *North* 6C **4**
Brackenhill Clo. *North* 4D **8**
Brackley Clo. *North* 1C **8**
Brackmills Bus. Pk. *North* ...1F **21**
Bracknell. *Well* 1E **33**
Bradden Clo. *North* 2C **8**
Bradfield Clo. *Fin R* 2A **28**
Bradfield Clo. *Rush* 2H **37**
Bradfield Rd. *Fin R* 2A **28**
Bradmoor Ct. *North* 3H **7**
Bradshaw St. *North* 3B **14**
Bradshaw Way. *Irch* 5F **35**
Braemar Cres. *North* 3A **20**
Brafield Rd. *Cog* 5G **17**
Braid Ct. *Well* 4F **27**
Bramble End. *North* 3G **19**
Bramcote Dri. *North* 1C **16**
Bramhall Ri. *North* 1C **12**
Bramley Clo. *Cog* 3H **17**
Bramley Clo. *Rush* 2D **36**
Bramley Gro. *North* 5E **11**
Bramhar Ho. *North* 2G **13**
Brampton Clo. *Well* 4F **27**
Brampton La. *Chap B* 2A **2**
Brampton Wlk. *North* 2E **9**
Brancutt Ct. *North* 6E **11**
Brancutt Wlk. *North* 5E **11**
Branksome Av. *North* 6A **8**
Brashland Dri. *North* 5C **20**
Brawn Clo. *Irth* 3C **30**
Brayford Clo. *North* 2H **15**

Brecon St. *North* 1H **13**
Breezehill. *Woot* 5E **21**
Breezehill Way. *Well* 4A **28**
Brembridge Clo. *Syw* 3G **5**
Brendon Clo. *North* 2H **15**
Brentford. *Well* 6D **26**
Bressingham Gdns. *North* ...4B **20**
Bretton Clo. *North* 6B **6**
Briar Hill Rd. *North* 1A **20**
Briar Hill Wlk. *North* 1A **20**
Briars, The. *North* 6H **13**
Brickhill Rd. *Well* 1E **33**
Brick Kiln La. *North* 1B **14**
Brickwell Ct. *North* 6D **10**
Brickyard. *North* 1G **9**
Bridgeater Dri. *North* 2H **15**
Bridle Clo. *Braf G* 1G **23**
Bridle Clo. *Fin R* 2A **28**
Bridle Path. *Braf G* 1G **23**
Brightwell Wlk. *Irth* 3B **30**
Britannia Gdns. *Well* 1C **34**
Briton Gdns. *Well* 6G **9**
Briton Rd. *North* 1G **15**
Briton Ter. *North* 6G **9**
Brittons Dri. *North* 6C **4**
Broad Grn. *Well* 6H **27**
Broadhurst Dri. *North* 1D **16**
Broadlands. *Pits* 1C **2**
Broadlands. *Rush* 2F **37**
Broadmead Av. *North* 5F **9**
Broad St. *Earls B* 5A **32**
Broad St. *North* 3B **14**
Broadway. *North* 6E **9**
Broadway. *Well* 2A **34**
Broadway E. *North* 6F **9**
Brocade Clo. *North* 1G **19**
Brockhall Clo. *North* 3D **8**
Brockhall Rd. *North* 3D **8**
Brockton St. *North* 6C **8**
Brockwood Clo. *North* 6B **6**
Bromford Clo. *L Bil* 1D **16**
Brooke Clo. *Rush* 4F **37**
Brooke Clo. *Well* 6D **26**
Brooke Grn. *Well* 6D **26**
Brooke M. *Well* 6D **26**
Brookfield Rd. *North* 5D **8**
Brookfield Rd. *Rush* 3E **37**
Brookland Cres. *North* 6F **9**
Brookland Rd. *North* 6E **9**
Brook La. *North* 1G **13**
Brookside Meadows. *North* ..6F **7**
Brook St. *North* 2A **14**
Brook St. E. *Well* 1B **34**
Brook St. W. *Well* 1H **33**
Brook Va. *Wilby* 4E **33**
Broom Ct. *North* 6G **13**
Broomhill Cres. *North* 1D **10**
Brough Clo. *North* 6A **6**
Broughton Pl. *North* 4G **9**
Browning Rd. *Well* 1E **33**
Brownlow Ct. *North* 3B **10**
Browns Clo. *Moul* 3H **3**
Browns Way. *North* 4D **14**
Bruce St. *North* 3G **13**
Brundall Clo. *North* 2A **16**
Brunel Clo. *Park F* 5D **26**
Brunel Dri. *Upton* 5H **13**
Brunswick Pl. *North* 2D **14**
Brunswick Wlk. *North* 2D **14**
    (off Brunswick Pl.)
Brunting Rd. *Moul* 5H **3**
Bryant Way. *High F* 5F **31**
Buchanan Clo. *North* 6H **13**
Buckingham Clo. *North* 4A **20**
Buckingham Clo. *Well* 4G **33**
Buckwell Clo. *North* 6G **27**
Buckwell End. *Well* 6H **27**
Buckwell Pl. *Well* 1H **33**
Bullfinch Way. *Well* 5B **28**
Bunting Rd. *North* 6B **8**
Bunting Rd. Ind. Est. *North* .6C **8**
Burford Av. *North* 2A **10**
Burford Way. *Well* 3F **33**
Burleigh Rd. *North* 6B **8**
Burmans Way. *Cog* 3H **17**
Burns Clo. *Earls B* 5B **32**
Burns Rd. *Well* 1D **32**
Burns St. *North* 2D **14**
Burrows Ct. *North* 3B **10**
Burryport Rd. *Brac I* 1G **21**
Burton Ct. *North* 3H **9**
Burwood Rd. *North* 5G **9**
Bury Clo. *High F* 5G **31**
Burystead Pl. *North* 1A **34**
Bush Clo. *Well* 6G **27**
Bush Hill. *North* 6H **9**
Bushland Rd. *North* 5H **9**
Butcher's La. *Bou* 5B **2**

Butlin Ct. *Well* 4C **34**
Buttermere. *Well* 6E **27**
Buttermere Clo. *North* 4H **9**
Buttmead. *Blis* 6A **24**
Butts Cft. Clo. *North* 5B **20**
Butts Rd. *North* 5B **20**
Butts Rd. *Well* 4G **33**
Byfield Rd. *North* 3H **13**
Byron Cres. *High F* 6E **31**
Byron Cres. *Rush* 3C **36**
Byron Rd. *Well* 1F **33**
Byron St. *North* 6E **9**

C

Caldbeck Wlk. *North* 3H **9**
Calder Grn. *North* 6F **7**
. . . .(in two parts)
Calstock Clo. *North* 2A **16**
Camberley Clo. *North* 5E **11**
Camborne Clo. *North* 2A **20**
Cambria Cres. *North* 6H **9**
Cambridge St. *North* 1B **14**
Cambridge St. *Well* 6A **28**
Camelot Way. *North* 1B **12**
Cameron Clo. *North* 2F **13**
Cameron Cres. *North* 2F **13**
Cameron Dri. *North* 2F **13**
Campanula Clo. *North* 3H **15**
Campbell Rd. *Well* 3A **34**
Campbell Sq. *Earls B* 5A **32**
Campbell Sq. *North* 3B **14**
Campbell St. *North* 2B **14**
Campion Clo. *Rush* 5F **37**
Campion Ct. *North* 6E **11**
Camp La. *North* 6A **12**
Camrose Rd. *North* 1H **13**
Candace Ct. *North* 1F **13**
Candleford. *North* 3E **11**
Cannon St. *Well* 6A **28**
Canonby. *Well* 1E **33**
Canons Wlk. *North* 4H **7**
Cardigan Rd. *North* 1G **13**
Cardinal Clo. *North* 4A **20**
Cares Orchard. *Braf G* 6G **17**
Carey Clo. *Moul* 4G **3**
Carey St. *North* 2D **14**
Carey Way. *Rush* 2H **37**
Carline Ct. *North* 3A **10**
Carlton Clo. *Rush* 6E **37**
Carlton Gdns. *North* 6D **8**
Carlton M. *High F* 6G **31**
Carlton Rd. *North* 5D **8**
Carlyle Av. *North* 2F **13**
Carmarthen Way. *Rush* 5G **37**
Carnegie St. *Rush* 3E **37**
Carousel Way. *North* 2C **16**
Carrington Gdns. *North* 1C **16**
Carter Clo. *North* 1B **34**
Cartmel Pl. *North* 4G **9**
Cartmel Way. *Rush* 2H **37**
Cartwright Rd. *North* 6B **8**
Casterbridge Ct. *Hard* 4D **20**
Casterton Wlk. *North* 2F **11**
Castilian St. *North* 4C **14**
Castilian Ter. *North* 4C **14**
Castle Av. *North* 1D **12**
Castle Bush. *North* 1D **12**
Castle Clo. *North* 1D **12**
Castle Ct. *Rush* 5E **37**
Castle Hill. *North* 3A **14**
Castle La. *Well* 1A **34**
Castle M. *Well* 1B **34**
Castle Rd. *Well* 1B **34**
Castle St. *North* 3B **14**
Castle St. *Well* 1B **34**
Castle Ter. *North* 3A **14**
Castle Way. *Well* 1A **34**
Caswell Rd. *Brac I* 2F **21**
Catesby Clo. *North* 3D **8**
Cattle Hill. *Gt Bil* 5F **11**
Cattle Mkt. Rd. *North* 4B **14**
Catton Cres. *North* 2G **7**
Cauldecott Clo. *North* 2D **18**
Causeway, The. *Gt Bil & Cog* 2F **17**
Causeway, The. *North* 6G **13**
Cavendish Dri. *North* 3A **16**
Cecil Rd. *North* 6B **8**
Cedar Clo. *Irch* 6G **35**
Cedar Clo. *North* 5E **37**
Cedar Clo. *Syw* 6G **5**
Cedar Ct. *North* 1F **13**
Cedar Rd. *North* 1E **15**
Cedar Rd. E. *North* 1E **15**
Cedar Way. *High F* 4F **31**
Cedarway. *Well* 4H **27**
Cedrus Ct. *North* 1G **7**
Celeborn Pl. *North* 2E **11**
Cemetery La. *High F* 5F **31**

Centaine. *Rush* 4E **37**
Central Av. *North* 1A **8**
Central Av. *Well* 3G **33**
Chace Rd. *Well* 1C **34**
Chadstone Av. *North* 1C **8**
Chadwick Gdns. *North* 6E **7**
Chaffinch Clo. *North* 4G **19**
Chalcombe Av. *North* 2B **8**
Chalcombe Rd. *North* 3B **8**
Chalk La. *North* 4A **14**
Chamberlain Av. *Well* 4G **33**
Chamberlain Way. *High F* 6G **31**
Chantry Clo. *Gt Bil* 4E **11**
Chapel Grn. *North* 5H **7**
Chapel Hill. *High F* 3F **31**
Chapel Hill. *Irch* 5H **35**
Chapel La. *Blis* 5A **24**
Chapel La. *Braf G* 1H **23**
Chapel La. *Gt Dod* 6G **33**
Chapel Pl. *North* 3D **14**
Chapel Row. *Gt Bil* 5F **11**
. . . .(off Station M.)
Chapmans Clo. *Irch* 5H **35**
Chappell Ho. *Moul* 5H **3**
Chardonnay Clo. *New D* 5B **6**
Charlbury Clo. *Well* 5G **33**
Charles Clo. *High F* 4G **31**
Charles Partridge Ct. *Well* 4E **33**
Charles Robinson Ct. *North* 2G **33**
Charles St. *North* 2C **14**
Charles St. *Well* 3G **33**
Charlton Clo. *North* 2B **8**
Charnwood Av. *North* 5A **10**
Chartwell Av. *North* 2H **9**
Chase, The. *Pit* 1C **2**
Chater St. *Moul* 4A **4**
Chatsworth Av. *North* 2C **10**
Chatsworth Dri. *Well* 4E **27**
Chaucer Rd. *Well* 1E **33**
Chaucer St. *North* 5E **9**
Cheddar Clo. *North* 2E **13**
Chedworth Clo. *North* 5G **11**
Cheese La. *Well* 1A **34**
. . . .(off Market St.)
Chelfham Clo. *North* 2A **16**
Chelmsford Clo. *North* 1H **19**
Chelveston Rd. *High F* 5H **31**
Chepstow Clo. *North* 4E **27**
Chepstow Dri. *Well* 6A **28**
Chequers La. *Well* 6A **28**
Cheriton Way. *North* 3H **15**
Cherry Av. *Well* 4A **28**
Cherry Blossom Clo. *North* 5E **11**
Cherry Clo. *North* 5H **9**
Cherry Ct. *Irth* 2C **30**
Cherry Lodge Rd. *North* 3E **11**
Cherry Orchard. *Rush* 4G **37**
Cherry St. *Irth* 2C **30**
Cherry Tree La. *Gt Hou* 6B **16**
Cherrytree Wlk. *Syw* 5G **5**
Cherwell Grn. *North* 6G **7**
Chesham Ri. *North* 3E **11**
Chester Rd. *Irch* 3G **35**
Chester Rd. *Rush* 3D **36**
Chester Rd. *Well* 1C **34**
Chestnut Av. *Woot* 6C **20**
Chestnut Clo. *Rush* 2D **36**
Chestnut Rd. *North* 6F **9**
Chestnut Ter. *North* 5F **9**
Cheviot Ct. *North* 6F **13**
Chewton Clo. *North* 2E **13**
Cheyne Wlk. *North* 4C **14**
Chichele Clo. *High F* 6F **31**
. . . .(off Hind Stile)
Chichele St. *High F* 5G **31**
Chieftan Bus. Pk. *Well* 5C **26**
Chiltern Av. *North* 1E **13**
Chiltern Av. *North* 1E **13**
Chiltern Way. *North* 1E **13**
Chilwell Ct. *North* 1C **16**
Chipsey Av. *North* 3G **15**
Choakles, The. *Woot* 5G **21**
Chowns Mill Bus. Pk. *High F* 3F **31**
Christchurch Ho. *Well* 2C **34**
Christchurch Rd. *North* 2F **15**
Chulmleigh Wlk. *North* 2H **15**
. . . .(in two parts)
Church Clo. *Mil M* 1C **24**
Churchfield Clo. *North* 3D **8**
Church Grn. *North* 5G **7**
. . . .(in two parts)
Church Hall Rd. *Rush* 4D **36**
Church Hill. *Moul* 4H **3**
Church Hill. *Woot* 6D **20**
Churchill Av. *North* 3G **9**
Churchill Rd. *Earls B* 5A **32**
Church La. *Blis* 6A **24**
Church La. *Braf G* 1H **23**
Church La. *Gt Dod* 6G **33**

Church La. *Harl* 1A **6**
Church La. *L Bil* 1D **16**
Church La. *North* 3B **14**
Church La. *Pit* 1C **2**
Church La. *Syw* 2G **5**
Church La. *Wilby* 4D **32**
Church St. *Bou* 5B **2**
Church St. *Irth* 1D **30**
Church St. *Moul* 4H **3**
Church St. *North* 5B **18**
Church St. *Rush* 3F **37**
Church St. *Well* 1A **34**
Church Vw. *Moul* 3H **3**
Church Vw. *North* 4A **8**
Church Vw. *Woot* 6D **20**
Church Wlk. *Gt Bil* 5E **11**
Church Wlk. *Irth* 1D **30**
. . . .(off Church St.)
Churchway. *North* 6A **10**
Church Way. *Well* 1A **16**
. . . .(off Orient Way)
Church Way Ct. *North* 1A **16**
Cinnamon Clo. *North* 5C **20**
Circus End. *North* 6D **6**
Cissbury Rd. *North* 5G **13**
Clannell Rd. *North* 3H **19**
Clare Clo. *Earls B* 6B **32**
Claregate. *North* 3A **20**
Claremont Ct. *North* 3B **14**
. . . .(off Simon's Wlk.)
Clarence Av. *North* 6B **8**
Clarence Ct. *Rush* 5E **37**
Clare Rd. *Well* 2E **33**
Clare St. *North* 2C **14**
Clare Wlk. *High F* 6F **31**
Clarke St. *Earls B* 5B **32**
Clarke Rd. *North* 1F **15**
Claughton Rd. *North* 6C **14**
Claydon Clo. *Well* 6G **27**
Clayfield Clo. *Moul I* 1G **9**
Claystones. *North* 1E **19**
Clee Ri. *North* 1E **13**
Cleeve Way. *Well* 4F **33**
Cleveland Pl. *North* 1H **19**
Cliftonville. *North* 3D **14**
Cliftonville Ct. *North* 3E **15**
Cliftonville Rd. *North* 3E **15**
Clinton Rd. *North* 6A **14**
Clipston Fld. Pl. *North* 5F **11**
Clipston Way. *North* 6D **6**
Clock Tower Ct. *North* 1B **10**
Close, The. *Irth* 2D **30**
Close, The. *North* 3B **8**
Cloutsham St. *North* 2C **14**
Clover Dri. *Rush* 5G **37**
Clover La. *North* 2H **7**
Clumber End. *North* 2B **16**
Coaching Wlk. *North* 5A **10**
Cobblestone Ct. *North* 1E **19**
Cob Dri. *Swan V* 2C **18**
Codlin Clo. *L Bil* 6D **10**
Coffee Tavern Ct. *Rush* 3F **37**
. . . .(off High St.)
Coffee Tavern La. *Rush* 3F **37**
Coldstream La. *Hard* 2D **20**
Coleraine Clo. *North* 3H **7**
College Fld. Clo. *North* 4F **11**
College St. *High F* 5G **31**
College St. *Irth* 1C **30**
College St. *North* 3B **14**
College St. *Rush* 3F **37**
College St. *Well* 1G **33**
Collingcroft Clo. *North* 4H **19**
Collingdale Rd. *North* 4A **10**
Collingtree Rd. *Mil M* 1C **24**
Collingwood Rd. *North* 6E **9**
Collins St. *North* 2E **15**
Collmead Ct. *North* 3E **11**
Collyweston Rd. *North* 2F **11**
Colne Way. *North* 6F **7**
Colonial Dri. *North* 6B **20**
Colwell Rd. *Well* 1C **34**
Colwyn Rd. *North* 2D **14**
Commercial St. *High F* 6F **31**
Commercial St. *North* 4B **14**
Commercial Way. *Well* 1A **34**
Compton Clo. *Earls B* 6A **32**
Compton Rd. *Well* 6C **28**
Compton St. *North* 3B **14**
Compton Way. *Earls B* 6A **32**
Conduit La. *North* 3B **14**
Coneygree Ct. *North* 6E **11**
Coneygreen. *North* 3E **21**
Coneygree Wlk. *North* 6E **11**
Coneywell Ct. *North* 6C **10**
Conifer Ri. *North* 6B **10**
Coniston Av. *North* 4G **9**
Coniston Clo. *Well* 6E **27**
Connaught St. *North* 2C **14**
Connegar Leys. *Blis* 6B **24**

Constable Rd. *North* 4B **10**
Conway Clo. *North* 5F **7**
Conway Clo. *Rush* 5E **37**
Conway Clo. *Well* 5E **27**
Conyngham Rd. *North* 5C **10**
Cook Pl. *North* 5G **11**
Co-operative Row. *Rush* 4F **37**
Copper Leaf Clo. *Moul* 1H **9**
Coppice Dri. *North* 2F **9**
Coppice Rd. *North* 2G **7**
Copymoor Clo. *Woot* 5E **21**
Corbieres Clo. *New D* 5B **6**
Cordon Clo. *North* 4E **11**
Cordon Cres. *Earls B* 5B **32**
Cordwainers. *Rush* 4G **37**
Cornfield Clo. *North* 2A **8**
Cornhill Clo. *Lodge F* 4D **6**
Corn Kiln Clo. *Cog* 3H **17**
Corn La. *Well* 1A **34**
Cornwell Bus. Pk. *North* 1G **21**
Coronation Av. *Rush* 4C **36**
Corran Clo. *North* 1F **13**
Cosgrove Rd. *North* 2B **8**
Cosgrove Way. *North* 2B **8**
Cotswold Av. *North* 1D **13**
Cotswold Dri. *Well* 4F **33**
Cotswold Ho. *North* 1D **12**
Cottage Clo. *North* 3H **7**
Cottage Gdns. *North* 4E **11**
Cottagewall Ct. *North* 6C **10**
Cottarville. *North* 6A **10**
Cottesbrooke Gdns. *North* 4C **20**
Cottesmore Clo. *North* 6C **6**
Cottesmore Way. *Well* 1F **33**
Cottingham Dri. *Moul* 6G **3**
Cotton End. *North* 5B **14**
Cottons, The. *Well* 4F **27**
Coulon Clo. *Irch* 6G **35**
Countess Ct. *North* 2H **13**
Countess Rd. *North* 2H **13**
Courteen Hall Clo. *North* 2C **8**
Courteenhall Rd. *Blis* 5A **24**
Courtenay. *Rush* 4E **37**
Court Rd. *North* 4B **14**
Coverack Clo. *North* 2A **20**
Coverdale. *North* 2G **7**
Covert Clo. *North* 1H **7**
Covington St. *North* 3F **15**
Cowgill Clo. *North* 4E **11**
Cowley Clo. *Woot* 4C **20**
Cowper Clo. *Earls B* 5C **32**
Cowper Clo. *Irth* 2B **30**
Cowper Rd. *Well* 1E **33**
Cowper St. *North* 2D **14**
Cowper Ter. *North* 6D **8**
Cowslip Clo. *Rush* 5G **37**
Cow Yd. *North* 4A **8**
Crabb St. *Rush* 4F **37**
Crabb Tree Dri. *North* 6C **4**
Crabtree Clo. *Well* 3H **33**
Cracknuts La. *Gt Hou* 1B **22**
Cragside. *Well* 5E **27**
Craigie. *Well* 1E **33**
Cranbrook Rd. *North* 6B **8**
Crane Clo. *Den I* 3A **34**
Crane Wlk. *North* 1B **10**
Cranford Rd. *North* 4B **8**
Cranmere Av. *North* 3G **15**
Cransley Wlk. *North* 1F **11**
. . . .(in two parts)
Cranstoun St. *North* 2C **14**
Craven St. *North* 2C **14**
Crawford Av. *North* 2F **13**
Crawley Av. *Well* 4F **27**
Crediton Clo. *North* 2A **16**
Crescent, The. *Moul* 4A **4**
Crescent, The. *North* 1E **15**
Crescent, The. *Rush* 3C **36**
Cresswell Rd. *Rush* 3D **36**
Crestline Ct. *North* 2D **10**
Crestwood Gdns. *North* 2C **10**
Crestwood Rd. *North* 1B **10**
Cricklade Clo. *North* 3A **16**
Crickly Cres. *North* 6F **13**
Crispian Ct. *Rush* 3E **37**
Crispin St. *North* 3B **14**
Crocket Clo. *North* 5D **8**
Crocus Way. *Rush* 6F **37**
Croft Clo. *Well* 6E **27**
Crofters Clo. *North* 4A **20**
Croftmeadow Ct. *North* 3E **11**
Croft, The. *North* 6G **7**
Croft Way. *Rush* 2H **37**
Cromwell Ct. *Well* 6B **28**
Cromwell Rd. *Rush* 2G **37**
Cromwell St. *North* 3B **14**
Crossbrooks. *Woot* 5E **21**
Cross Rd. *Well* 5B **28**
Cross St. *Moul* 4H **3**
Cross, The. *Gt Hou* 1B **22**

ross Waters Clo. *Woot* 5E 21
ross Way. *Irth* 3B 30
rouch Rd. *Irth* 2D 30
roughton Clo. *North* 2B 8
rowberry Av. *Moul* 6H 3
row La. *L Bil* 1F 17
row La. Ind. Est. *North* 1F 17
rownsmead. *North* 2E 19
rown Way. *Rush* 1C 36
rowthorp Rd. *North* 2F 11
roxdale Clo. *North* 2G 7
royland Rd. *Well* 1G 33
ubleigh Clo. *Moul* 1H 9
ullahill Ct. *North* 1F 19
ulworth Cres. *North* 2C 8
umberland Ct. *North* 4F 9
umbrae Dri. *Gt Bil* 5F 11
unningham Clo. *High F* 6F 31
urlbrook Clo. *Woot* 4E 21
urrie Rd. *North* 6B 8
urtis M. *Well* 4E 27
urtlee Hill. *North* 5E 21
yclamen Way. *North* 3H 15
ypress Ct. *North* 4B 10
yril St. *North* 3D 14

D

affodil Dri. *Rush* 6F 37
aimler Clo. *North* 3G 11
airymeadow Ct. *North* 1C 10
aisy Cft. *Rush* 5G 37
ale Av. *Well* 6E 27
ale Clo. *Well* 6E 27
ale Ho. *Well* 1H *33*
. . . .(off Wood St.)
alestones. *North* 1E 19
ale St. *Well* 1H 33
ale, The. *Well* 6E 27
alkeith Rd. *Well* 4H 33
allington Ct. *North* 1G 13
allington Grn. *North* 1G 13
allington Haven. *North* 1G 13
allington Pk. Rd. *North* 1G 13
allington Sq. *North* 1G 13
alston Wlk. *North* 3H 9
amson Dell. *L Bil* 1D 16
anefield Rd. *North* 3D 12
ane Ridge. *North* 6D 6
anes Backside. *North* 4A 8
anes Camp Way. *North* 1E 19
anetree Gdns. *North* 5G 9
anewood Gdns. *North* 5G 9
aniels Rd. *L Irch* 4C 34
applestone Clo. *North* 1E 19
arby Clo. *Park F* 6C 26
ark La. *Gt Har* 1F 27
arwin Wlk. *North* 6D 6
. . . .(in two parts)
a Vinci Clo. *Upton* 4D 12
avy Clo. *Park F* 5C 26
ayrell Rd. *North* 1F 19
ayrell Sq. *North* 1G 19
ayrell Wlk. *North* 1G 19
ayton St. *Rush* 3E 37
eacon Clo. *Rush* 2H 37
eacons Ct. *North* 3F 11
eal Ct. *North* 2C 14
eal St. *North* 2B 14
ean Clo. *Rush* 5E 37
eancourt Dri. *North* 6B 6
eansway. *North* 3F 11
ebdale Rd. *North* 4H 9
ebdale Rd. *Well* 6G 27
eer Pk. Rd. *Moul I* 1F 9
elamere Rd. *North* 2B 20
elapre Ct. *North* 1B 20
elapre Cres. *North* 6B 14
elapre Cres. Rd. *North* 6A 14
elapre St. *North* 6A 14
ell Cres. *North* 2E 11
ell Pl. *Rush* 3G 37
elta Way. *North* 2G 7
enbigh Rd. *North* 3A 16
enby Dale. *Well* 4F 27
encora Bus. Pk. *Well* 1C 32
ene Clo. *Well* 5F 27
enford Way. *Well* 4F 27
enington Ct. *Den I* 3A 34
enington Ind. Est. *Well* 3B 34
enington Rd. *Den I* 3A 34
enmark Ct. *Rush* 4G 37
enmark Rd. *North* 3D 14
enmark Rd. *Rush* 4G 37
enston Clo. *North* 2A 20
enton Clo. *Irch* 5H 35
enton Clo. *Rush* 2G 37
erby Rd. *North* 2D 14
erngate. *North* 4C 14

Derwent Clo. *North* 5G 7
Derwent Clo. *Well* 5E 27
Derwent Dri. *North* 6G 7
Devonshire Clo. *Bou* 5B 2
Devonshire Clo. *Well* 5G 27
Devon Wlk. *Rush* 4G 37
Devon Way. *North* 2F 9
Diamond Dri. *Irth* 3B 30
Diamond Way. *Irth* 1E 31
Dianan Ho. *Well* 6F 27
Dickson Clo. *North* 6G 13
Dimock Sq. *North* 1G 19
Dingle Rd. *Rush* 3B 36
Dingley Wlk. *North* 2F 11
Ditchford Clo. *Woot* 5E 21
Ditchford Rd. *Well* 4H 29
Dobson Clo. *Gt Hou* 1C 22
Doctors La. *Gt Dod* 6G 33
Doddington Rd. *Earls B* 5B 32
Doddington Rd. *Well* 5B 32
Doddington Rd. *Wilby* 5D 32
Doddridge St. *North* 4B 14
Donellan Grn. *North* 1C 10
Donovan Ct. *North* 1B 16
Dorchester Ct. *North* 5B 6
Dore Clo. *North* 2E 11
Dorset Gdns. *North* 4C 8
Dorset Rd. *North* 4C 8
Douglas Rd. *North* 1A 12
Dover Clo. *Rush* 4H 37
Dove's La. *Moul* 4A 4
Downs, The. *Well* 2G 27
Downsway. *North* 5A 20
Downthorpe Hill. *Earls B* 6A 32
Downwood Clo. *North* 4F 11
Dowthorpe End. *Earls B* 5A 32
Drapery. *North* 3B 14
Draycott Clo. *North* 2A 16
Drayton Clo. *Rush* 5E 37
Drayton Pl. *Irth* 1B 30
Drayton Rd. *Irth* 1B 30
Drayton Wlk. *North* 3C 8
Drive, The. *Dus* 2B 12
Drive, The. *North* 1E 15
Drive, The. *Rush* 4F 37
Drive, The. *Well* 2A 34
Drovers Wlk. *North* 2H 7
Druids Way. *North* 2E 9
Drum La. *North* 3B 14
Drummond Clo. *Pit* 1C 2
Drydale Av. *North* 4G 9
Dryden Rd. *North* 2G 13
Dryden Rd. *Well* 6C 28
Dryden Way. *High F* 6E 31
Dryland Rd. *North* 5H 9
Dryleys Ct. *North* 2E 11
Drywell Ct. *North* 6D 10
Duce Clo. *Well* 4F 27
Duchy Clo. *High F* 6G 31
Duck St. *Rush* 3F 37
Duckworth Dell. *North* 1C 10
Duke St. *North* 2C 14
Duke St. *Well* 3F 33
Dulce Rd. *North* 1D 12
Dulley Av. *Well* 4H 33
Dulverton Rd. *North* 2A 16
Duncan Clo. *Moul P* 6E 3
Duncan Ct. *Well* 3F 33
Dundee St. *North* 3G 13
Dunster St. *North* 3C 14
Duston Mill La. *North* 4E 13
Duston Rd. *North* 2E 13
Duston Wildes. *North* 5B 6
Dybdale Cres. *Well* 6G 27
Dychurch La. *North* 3C 14

E

Eagle Dri. *North* 1D 20
Ealing Ter. *North* 2E 37
Earlsfield Clo. *Woot* 5E 21
Earl St. *North* 2C 14
Eastbank. *North* 1B 10
E. Butterfield St. *North* 2C 10
East Cres. *Rush* 3D 36
Eastern Av. N. *North* 2C 8
Eastern Av. S. *North* 5C 8
Eastfield. *Blis* 6A 24
Eastfield Clo. *North* 6D 6
Eastfield Rd. *Del* 6B 14
Eastfield Rd. *Dus* 1C 12
Eastfield Rd. *North* 1D 30
Eastfield Rd. *Well* 5B 28
East Gro. *Rush* 2F 37
E. Leys Ct. *Moul* 6H 3
E. Mead Ct. *North* 6D 10
E. Oval. *North* 5G 7
E. Paddock Ct. *North* 3D 10

E. Park Pde. *North* 1E 15
E. Priors Ct. *North* 3D 10
E. Rising. *North* 4C 20
East St. *Irch* 5H 35
East St. *North* 3E 15
Eaton Rd. *North* 6B 6
Eaton Wlk. *Rush* 3F 37
Ebbw Va. Rd. *Irth* 2B 30
Ecton Brook Rd. *North* 4G 11
Ecton La. *Syw* 2G 5
Ecton Pk. Rd. *North* 4F 11
Ecton St. *North* 3D 14
Eden Clo. *North* 3G 9
Edgehill Rd. *North* 6E 7
Edgemead Clo. *Rou S* 6B 4
Edgemont Rd. *North* 6B 10
Edges Ct. *Moul* 6H 3
Edinburgh Rd. *North* 5B 8
Edinburgh Rd. *Well* 4G 33
Edison Clo. *Park F* 5C 26
Edison Ct. *Well* 5C 26
Edison Dri. *Upton* 5E 13
Edith St. *North* 3D 14
Edmonds Clo. *Den I* 3A 34
Edward Clo. *High F* 4G 31
Edwardian Clo. *Woot* 4D 20
Edward Rd. *Irch* 6H 35
Edwards Dri. *Well* 6F 27
Edward Watson Clo. *North* 2A 8
Edwinstowe Clo. *North* 2B 16
Ekins Clo. *North* 5A 10
Eldean Rd. *North* 6C 6
Elderberry Ct. *North* 4F 11
Elgin St. *North* 3G 13
Elizabeth Clo. *Earls B* 4A 32
Elizabeth Clo. *Well* 3F 33
Elizabeth Ct. *High F* 4G 31
Elizabeth St. *North* 3E 15
Elizabeth Wlk. *North* 3E 15
Elizabeth Way. *Earls B* 4A 32
Elizabeth Way. *High F* 3G 31
Elizabeth Way. *Irth* 3C 30
Ellan Clo. *Rush* 2C 36
Ellesmere Av. *North* 2F 13
Ellfield Ct. *North* 4C 10
Elm Clo. *Braf G* 1G 23
Elmhurst Av. *North* 5F 9
Elmhurst Ct. *North* 5F 9
Elmington Rd. *North* 2F 11
Elm St. *North* 2C 14
Elm St. *Well* 5H 27
Elm Wlk. *High F* 5F 31
Elmwood Wlk. *North* 6B 6
Elsden Rd. *Well* 6C 28
Elton Clo. *North* 2E 11
Elwes Way. *Gt Bil* 5E 11
Elysium Ter. *North* 1B 14
Embankment, The. *Well* 3C 34
Emerald Way. *North* 4A 14
Emley Clo. *North* 6C 10
Enfield Clo. *North* 1A 12
Ennerdale Clo. *North* 4F 9
Ennerdale Rd. *North* 4F 9
Ennerdale Rd. *Rush* 2H 37
Enstone Ct. *Well* 4G 33
Enterprise Ct. *Well* 5D 26
Entwood Dri. *North* 2E 11
Ermine Rd. *North* 3C 16
Esher Ct. *North* 3A 10
Eskdale Av. *North* 4G 9
Eskdale Clo. *Well* 5E 27
Essex Rd. *Rush* 4G 37
Essex St. *North* 1B 14
Ethel St. *North* 3D 14
Euston Rd. *North* 6B 14
Evelyn Way. *Irch* 6A 36
Evenley Rd. *North* 2B 8
Evensford Wlk. *Irth* 3B 30
Everdon Clo. *North* 3D 8
Everitt Clo. *Den I* 3B 34
Evesham Clo. *Well* 4G 33
Evesham Ct. *North* 6D 4
Excalibur Clo. *North* 2B 12
Excelsior. *Well* 1H 33
Excelsior Ct. *North* 1C 30
Excelsior Gdns. *North* 1B 12
Exeter Pl. *North* 2D 14
Exmoor Clo. *North* 2A 16
Express Clo. *Irth* 2C 30
Express Pk. *Rush* 2B 36
Eynon Clo. *Moul* 4G 3

F

Fairfield Rd. *North* 5E 9
Fairground Way. *Riv B* 3B 16
Fairhurst Way. *Earls B* 5B 32
Fairmead Cres. *Rush* 5D 36
Fairmead Ri. *North* 1G 7

Fair Mile. *North* 1H 7
Fairoaks, The. *North* 1C 16
Fairway. *North* 5D 8
Fairway, The. *Well* 2G 27
Falconers Ri. *North* 3H 19
Falcutt Way. *North* 2C 8
Fallowfield. *Well* 3G 27
Fallow Wlk. *North* 1H 7
Faracre Ct. *North* 6E 11
Faracre Wlk. *North* 6E 11
Faraday Clo. *Park F* 5C 26
Faraday Clo. *Upton* 4E 13
Faraday Ct. *Park F* 5C 26
Faramir Pl. *North* 2E 11
Faringdon Ct. *North* 6D 4
Farmbrook Ct. *North* 2C 10
Farm Clo. *North* 3A 8
Farmclose Rd. *Woot* 5D 20
Far Mdw. Ct. *North* 2B 10
Farm Fld. Ct. *North* 2B 10
Farmhill Rd. *North* 1D 10
Farndish Rd. *Irch* 5H 35
Farndon Clo. *North* 1C 10
Farnham Dri. *Rush* 5D 36
Farnworth Clo. *North* 6D 6
Farraxton Sq. *North* 1F 19
Favell Way. *North* 1A 16
Fawsley Rd. *North* 1B 20
Faxfield Wlk. *North* 6C 10
Faxton Clo. *North* 3C 8
Fellmead Rd. *North* 2F 11
Fell Wlk. *Well* 5F 27
Fengate Clo. *North* 2F 11
Fennel Ct. *North* 6C 20
Fenners Clo. *Rush* 3H 37
Ferndale Rd. *North* 5A 10
Fernie Fld. *Moul* 1H 9
Fernie Way. *North* 2F 33
Fern Rd. *Rush* 3C 36
Ferrers Ct. *High F* 4G 31
Ferrestone Rd. *Well* 5A 28
Ferris Row. *Riv B* 2C 16
Fetter St. *North* 4C 14
Fieldmill Rd. *North* 6E 11
Fld. Rose Sq. *North* 5F 11
Fields Vw. *Well* 1B 34
Fieldway. *North* 6G 9
Fienesgate. *North* 2E 19
Fife St. *North* 2G 13
Filleigh Way. *North* 2H 15
Finedon Rd. *Irth* 1A 30
Finedon Rd. *Well* 6B 28
Finedon Rd. Ind. Est. *Well* 2B 28
Firbank Clo. *North* 1C 16
Firdale Av. *Rush* 1F 37
Firs Ct. *Hard* 3E 21
First Av. *Well* 2F 33
Firsview Dri. *North* 6C 6
Fir Tree Wlk. *North* 5B 10
Fishers Clo. *North* 6E 11
Fishponds Rd. *L Bil* 6D 10
Fish St. *North* 3C 14
Fitzroy Pl. *North* 3A 14
Fitzroy Ter. *North* 2B 14
Fitzwilliam Leys. *High F* 4F 31
Fitzwilliam Rd. *Irth* 1B 30
Fitzwilliam St. *Rush* 3E 37
Five Acres Fold. *North* 6G 13
Flaxlands Ct. *North* 4C 10
Flaxwell Ct. *North* 1C 16
Fleetwind Dri. *North* 4C 20
Fleming Clo. *Park F* 4E 26
Fletcher Rd. *Rush* 2E 37
Flintcomb Ri. *North* 4E 11
Flinters Clo. *Woot* 4E 21
Florence Rd. *North* 2E 15
Floribunda Dri. *North* 6G 13
Ford La. *North* 3A 8
Forest Ct. *Rush* 2H 37
Forest Rd. *North* 6B 14
Forfar St. *North* 2G 13
Fort Pl. *North* 3C 14
Fosberry Clo. *Woot* 5E 21
Foskett Clo. *Rush* 2E 37
Foskitt Ct. *North* 1E 17
Foskitt Wlk. *North* 6E 11
Fosse Clo. *Well* 4F 33
Fosse Grn. *Rush* 4C 14
Foundry St. *North* 4B 14
Fourth Av. *Well* 2F 33
Fowey Clo. *Well* 5E 27
Foxcovert Rd. *North* 5G 11
Foxendale Sq. *North* 5G 11
Foxford Clo. *North* 3G 11
Foxglove Clo. *Rush* 5G 37
Foxgrove Av. *North* 3H 7
Fox Hill. *North* 2B 20
Foxhill Rd. *North* 5G 11
Foxwell Sq. *North* 1C 10
Foxwood Clo. *Rush* 3C 36

Frances Jetty. *North* 4B **14**
Franciscan Clo. *Rush* 5D **36**
Francis Ct. *Rush* 1C **36**
Francis St. *North* 2B **14**
Franklin Cres. *North* 2E **13**
Franklin's Clo. *Ecton* 3H **11**
Franklin St. *North* 3G **13**
Fraser Rd. *North* 1A **10**
Freehold St. *North* 1B **14**
Freeschool St. *North* 4B **14**
Fremeaux Ter. *North* 5A **8**
Frencham Clo. *North* 6G **13**
Friar's Av. *North* 2A **20**
Friars Clo. *North* 2A **20**
Friars Clo. *Well* 2A **34**
Friar's Cres. *North* 2B **20**
Friary, The. North 3B **14**
. . . .(off Grosvenor Shop. Cen.)
Frinton Clo. *Rush* 5D **36**
Frosty Hollow. *North* 5B **20**
Fuchsia Clo. *North* 3H **15**
Fulford Dri. *North* 4D **8**
Fulleburn Ct. *North* 4B **10**
Fuller Rd. *Moul* 5H **3**
Fullingdale Rd. *North* 5G **9**
Fulmar La. *Well* 3A **28**
Furber Ct. *North* 3A **10**
Furze Ct. *North* 6H **13**
Furze Rd. *Braf G* 1G **23**
Furze Wlk. *North* 5D **8**
Fylingdale. *North* 2G **7**

G

Gable Ct. M. *North* 6A **10**
Gadesby Ct. *North* 4B **10**
Gainsborough Dri. *Well* 4H **27**
Galahad Ct. *North* 2B **12**
Galane Clo. *North* 2E **19**
Gallery Clo. *North* 1D **10**
Gallfield Ct. *North* 1F **17**
Galliard Ct. *North* 2E **15**
Gallowhill Rd. *Brac I* 2G **21**
Gambrel Rd. *West I* 3E **13**
Gannet La. *Well* 3A **28**
Gardenfield. *High F* 6F **31**
Garden Fields Ct. *Irch* 5H **35**
Garfield St. *North* 4B **8**
Garfield St. *North* 4A **8**
Garrick Rd. *North* 2G **15**
Garrow Clo. *Irth* 1A **30**
Garsdale. *North* 1G **7**
Gas St. *North* 4B **14**
Gatelodge Clo. *Rou S* 1B **10**
Gawaine Ct. *North* 2B **12**
Gayhurst Clo. *Moul* 6G **3**
Gayton Rd. *Blis* 5A **24**
Gedling Clo. *North* 1C **16**
Geldock Rd. *L Bil* 6D **10**
Gentian Clo. *Rush* 5G **37**
George Nutt Ct. *North* 1B **20**
George Row. *North* 4B **14**
George St. *High F* 4G **31**
George St. *Irth* 2C **30**
George St. *Rush* 3F **37**
George St. *Well* 6A **28**
Gervase Sq. *North* 6F **11**
Gibbsacre Ct. *North* 6F **11**
Gibbsacre Wlk. *North* 6F **11**
Gibson La. *North* 1G **13**
Gifford Ct. *North* 1D **12**
Gilbey Clo. *Well* 2G **27**
Gillitts Rd. *Well* 2G **33**
Gillsway. *North* 3H **7**
Gipsy La. *Irch* 5C **34**
Gisburne Rd. *Well* 5A **28**
Glade Clo. *North* 6E **11**
Glade, The. *Well* 2G **27**
Gladstone Clo. *North* 1H **13**
Gladstone Rd. *K Hth* 6H **7**
Glaisdale Clo. *North* 2G **7**
Glamis Clo. *Rush* 4H **37**
Glan y Mor Ter. *North* 2B **8**
Glapthorn Wlk. *North* 2F **11**
Glasgow St. *North* 2G **13**
Glassbrook Rd. *Rush* 3D **36**
Glastonbury Rd. *North* 2B **20**
Glebe Av. *North* 3D **20**
Glebe Clo. *Hard* 3D **20**
Glebe Farm Ct. *Gt Dod* 6G **33**
Glebeland Cres. *North* 1G **13**
Glebeland Gdns. *North* 6G **7**
Glebeland Rd. *North* 6G **7**
Glebeland Wlk. *North* 6G **7**
Glebe La. *Gt Hou* 1B **22**
Glebe La. *Pit* 1B **2**
Glebe Rd. *Cog* 3H **17**
Glebe Way. *Cog* 3H **17**
Glebe Way. *Hard* 3D **20**

Glenbank. *Well* 1A **34**
Glendale Ct. *North* 6F **11**
Glendale Wlk. *North* 6F **11**
Gleneagles Dri. *Well* 3F **27**
Glenfield Clo. *Rush* 2D **36**
Glenville. *North* 3G **9**
Gloucester Av. *North* 1A **20**
. . . .(in two parts)
Gloucester Clo. *North* 1A **20**
Gloucester Cres. *North* 1A **20**
Gloucester Cres. *Rush* 2G **37**
Gloucester Pl. *Well* 1A **34**
Godwin Wlk. *North* 5E **7**
Goldcrest Ct. *North* 2D **10**
Goldenash Ct. *North* 3C **10**
Goldings Rd. *North* 2D **10**
Gold Rd. *Well* 6H **27**
Goldsmith Rd. *Well* 1E **33**
Gold St. *North* 4B **14**
Goodens La. *Gt Dod* 6H **33**
Goodwood Av. *North* 3E **9**
Gordon Rd. *Well* 6B **28**
Gordon St. *North* 1B **14**
Gordon St. *Rush* 3D **36**
Gorse Clo. *North* 1A **8**
Gorseholm Ct. *Irth* 2D **30**
Gosforth. *Well* 1E **33**
Goslar, The. *Well* 2D **32**
Goughs Cotts. *North* 2D **12**
Gowerton Rd. *Brac I* 2F **21**
Goy Cres. *North* 3B **14**
Grafton Clo. *Well* 4F **27**
Grafton Pl. *Graf S* 2B **14**
Grafton Rd. *Rush* 3H **37**
Grafton St. *North* 2B **14**
Grafton St. Ind. Est. North 2A **14**
. . . . (off Grafton St.)
Grafton Vw. *Woot* 5D **20**
Grafton Way. *North* 5C **6**
Grafton Way. *Roth* 4B **18**
Granary Ct. *North* 4B **20**
Granary Rd. *North* 4B **20**
Grange Av. *North* 6C **6**
Grange Clo. *Earls B* 4A **32**
Grange Clo. *Irch* 6H **35**
Grange Rd. *North* 4H **9**
Grange Rd. *Well* 2G **27**
Grange Way. *Irch* 6H **35**
Grangeway. *Rush* 5D **36**
Grangewood. *North* 4H **19**
Grant Rd. *Well* 6B **28**
Grasmere Grn. *Well* 1D **32**
Graspin La. *North* 1A **16**
Grasscroft. *North* 2H **7**
Grasmere Av. *North* 5B **10**
Gravely St. *Rush* 3D **36**
Gray Clo. *Earls B* 5C **32**
Gray St. *Irch* 6G **35**
Gray St. *North* 2D **14**
Gt. Billing Pk. *North* 4E **11**
Gt. Billing Way. *North* 2F **11**
Gt. Field Ct. *North* 1C **10**
Gt. Gull Cres. *North* 1C **10**
Gt. Holme Ct. *North* 2B **10**
Greatmeadow. *North* 3F **11**
Greatmeadow Rd. *North* 3E **11**
Gt. Park St. *Well* 6A **28**
Gt. Russell St. *North* 2C **14**
Greaves Clo. *North* 6A **6**
Greenacre Dri. *Rush* 6F **37**
Greenaway Clo. *Blis* 6B **24**
Green Clo. *Well* 4E **27**
Green End. *North* 5A **8**
Greenfield Av. *North* 4F **9**
Greenfield Rd. *North* 4F **9**
Green Fields. *North* 6D **20**
Greenfield Way. *Rush* 4E **37**
Greenfinch Dri. *Moul* 1H **9**
Green Glades. *North* 2F **19**
Greenhills Clo. *North* 1A **8**
Greenhills Rd. *North* 1A **8**
Green La. *North* 2E **19**
Green La. *Woot* 6D **20**
Greenlaw. *Well* 1D **32**
Green Rd. *Braf G* 1H **23**
Greenside. *Blis* 6A **24**
Greenside. *North* 4H **9**
Greenside Gro. *Well* 6A **28**
Green St. *Mil M* 1B **24**
Green St. *North* 4A **14**
Greenview Dri. *North* 5D **8**
Greenway. *North* 3A **10**
Greenway. *W Fav* 1H **15**
Greenway Av. *North* 3A **10**

Greenwood Clo. *Moul* 5H **3**
Greenwood Rd. *North* 3H **13**
. . . .(in two parts)
Gregory St. *North* 4B **14**
Grendon Wlk. *North* 2E **9**
. . . .(in two parts)
Gresham St. *North* 1F **19**
Gretton Clo. *Well* 4F **27**
Greville Av. *North* 3F **9**
Greville Clo. *Bou* 5B **2**
Greyfriars. *North* 3B **14**
Griffin Gdns. *North* 2F **11**
Griffith St. *Rush* 4F **37**
Grimmer Wlk. *Irth* 3B **30**
Grosvenor Gdns. *North* 3C **8**
Grosvenor Shop. Cen. *North* 3B **14**
Groundwell Ct. *North* 6C **10**
Grovebury Dell. *North* 3H **7**
Grove Rd. *Braf G* 6G **17**
Grove Rd. *North* 2D **14**
Grove Rd. *Rush* 3G **37**
Grove St. *High F* 5G **31**
Grove St. *Well* 1G **33**
Grove, The. *Moul* 2H **3**
Guildhall Rd. *North* 4C **14**
Guillemot La. *Well* 4A **28**
Gurston Ri. *North* 3F **11**

H

Hachenburg Pl. *High F* 6G **31**
Haddon Clo. *Rush* 5E **37**
Haddon Clo. *Well* 3F **27**
Haines Rd. *North* 6B **14**
Hallam Clo. *Moul* 6G **3**
Hall Av. *Rush* 4E **37**
Hall Clo. *North* 3D **12**
Hall Ho. *North* 6G **13**
Hall Piece Clo. *North* 4F **11**
Halswell Ct. *North* 3A **10**
Hambledon Ri. *North* 6F **13**
Hamblin Ct. *Rush* 3F **37**
Hamlet Grn. *North* 1G **13**
Hammerstone La. *North* 6G **13**
Hampton St. *North* 2A **14**
Hamsterly Pk. *North* 1D **10**
Handcross Way. *Rush* 1G **37**
Handley Clo. *North* 6B **6**
Hanemill Ct. *North* 6F **11**
Hangerfield Ct. *North* 4C **10**
Hanover Ct. *North* 3E **11**
Harborough Rd. *North* 2B **8**
Harborough Rd. *Rush* 4G **37**
Harborough Rd. N. *Pit & Bou* 1A **2**
Harborough Way. *Rush* 4G **37**
Harcourt Sq. *Earls B* 5A **32**
Harcourt Way. *North* 6F **13**
Hardingstone La. *Hard* 3C **20**
Harding Ter. *North* 2B **14**
Hardlands Rd. *North* 1D **12**
. . . .(in two parts)
Hardwick Clo. *Well* 6G **27**
Hardwick Rd. *H'wck & Well* 3B **26**
Hardwick Rd. *North* 3B **20**
Hardwick Rd. *Well* 5E **27**
Hardy Dri. *Hard* 4E **21**
Harebell Sq. *North* 5G **11**
Harefield Rd. *North* 2E **11**
Harefoot Clo. *North* 1C **12**
Harksome Hill. *North* 1F **19**
Harlestone Ct. *North* 2G **13**
Harlestone Ho. *North* 2H **13**
Harlestone Rd. *Harl & North* 1A **6**
Harold St. *North* 3D **14**
Harrier Pk. *North* 4A **20**
Harris Clo. *Woot* 4E **21**
Harrison Clo. *Well* 6F **27**
Harrowden Rd. *Brac I* 1G **21**
Harrowden Rd. *Fin* 1C **28**
Harrowden Rd. *Well* 3G **27**
Harrowick La. *Earls B* 4A **32**
Harrow Way. *North* 1G **7**
Hartburn Clo. *Crow L* 1F **17**
Hartwell Ct. *North* 2C **8**
Harvest Way. *North* 2G **7**
Harvey La. *Moul* 5G **3**
Harvey Reeves Rd. *St James*
. . . . .4H **13**
Harvey Rd. *Rush* 6F **37**
Harvey Rd. *Well* 2G **33**
Haselrigg Sq. *North* 1G **19**
Hassocks Hedge. *North* 1D **18**
Hastings Rd. *North* 3C **8**
Hatfield Clo. *North* 3B **20**
Hatfield Clo. *Well* 4E **27**
Hatton Av. *Well* 6H **27**
Hatton Clo. *Moul I* 1F **9**
Hatton Hall. *Well* 6H **27**

Hatton Pk. Rd. *Well* 6G **27**
Hatton St. *Well* 5H **27**
Havelock St. *Well* 6A **28**
Haven Clo. *North* 2H **13**
Hawkridge. *North* 3G **19**
Hawksbeard Pl. *North* 5F **11**
Hawkshead. *Well* 2D **32**
Hawksmoor Way. *North* 6E **7**
Hawks Nest. *North* 3H **19**
Hawkstone Clo. *Dus* 2E **13**
Hawthorn Rd. *North* 6F **9**
Hawthorns, The. *High F* 5F **31**
Hawthorn Way. *Well* 6G **27**
Hay Clo. *Rush* 5F **37**
Haycroft Wlk. *North* 2H **7**
Hayden Rd. *Rush* 3G **37**
Haydown Grn. *North* 1E **13**
Hayeswood Rd. *North* 3C **10**
Hay La. *Irth* 2C **30**
Hayride, The. *North* 4H **19**
Hayway. *Irth* 2C **30**
Hayway. *Rush* 1E **37**
Hazeldene Rd. *North* 5D **8**
Hazelwood Rd. *North* 4C **14**
Headingley Rd. *Rush* 3H **37**
Headlands, The. *North* 6H **9**
Headlands, The. *Well* 5H **27**
Healey Clo. *North* 3G **11**
Hearden Ct. *Well* 2G **33**
H.E. Bates Way. *Rush* 3D **36**
Heather Ct. *North* 1H **19**
Heather Ct. *Rush* 3E **37**
Heatherdale Way. *North* 4D **8**
Heather La. *North* 3B **10**
Heathfield Boulevd. *K Hth* 5H **7**
Heathfield Way. *North* 3D **14**
Heath Grn. *North* 6G **7**
Heath Ri. *Well* 5F **27**
Heathville. *North* 6G **7**
Hecham Way. *High F* 4F **31**
Hedge End. *North* 5B **20**
Hedgely Ct. *North* 1H **19**
Hedgerow Dri. *North* 2H **7**
Hedges, The. *Rush* 1G **37**
Hedge Way. *North* 5B **20**
Hellidon Clo. *North* 3D **8**
Helmdon Cres. *North* 2B **8**
Helmdon Rd. *North* 2B **8**
Hembury Pl. *North* 6G **13**
Hemmingwell Rd. *Well* 4A **28**
Hemmingwell Way. *Well* 4A **28**
Henley Clo. *Well* 5E **27**
Henry St. *North* 2D **14**
Henshaw Rd. *Well* 2F **33**
Herbert St. *North* 3B **14**
Hereward Rd. *North* 1A **20**
Hermitage Way. *North* 1C **10**
. . . .(in two parts)
Hernhill Ct. *North* 1F **19**
Heron Clo. *Well* 4A **28**
Heronsford. *North* 3F **19**
Heron Way. *Well* 4B **28**
Herriotts La. *Well* 6A **28**
Hertford Ct. *North* 6D **10**
Hervey Clo. *North* 5A **10**
Hervey St. *North* 2D **14**
Hesperus. *Well* 1D **32**
Hester St. *North* 1B **14**
Hever Clo. *Rush* 5G **37**
Hexham St. *North* 1H **19**
Hiawatha. *Well* 1D **32**
Hidcote Clo. *North* 4B **20**
Hidcote Clo. *Well* 3F **33**
Higgins Sq. *North* 1G **19**
Higham Rd. *L Irch & Irch*
. . . . .4B **34**
Higham Rd. *Rush* 2F **37**
Highdown Clo. *North* 6F **13**
Highfield Rd. *Irth* 1D **30**
Highfield Rd. *North* 6F **9**
Highfield Rd. *Rush* 4C **36**
Highfield Rd. *Well* 6B **28**
High Greeve. *Woot* 5F **21**
Highgrove Ct. *Rush* 3F **37**
Highlands Av. *North* 3F **9**
High St. *Blis* 6A **24**
High St. *Col* 2F **25**
High St. *Earls B* 5A **32**
High St. *Gt Bil* 5F **11**
High St. *Gt Dod* 6G **33**
High St. *Gt Hou* 6B **16**
High St. *High F* 6F **31**
High St. *Hard* 3D **20**
High St. *Irch* 5H **35**
High St. *Irth* 2C **30**
High St. *K'thpe* 4A **8**
High St. *Mil M* 2B **24**
High St. *Moul* 4H **3**
High St. *Pit* 1B **2**
High St. *Rush* 2F **37**

igh St. *Well* 6H 27
igh St. *W Fav* 1A 16
igh St. *Woot* 5C 20
igh St. Pl. *Well* 1H 33
igh St. S. *Rush* 3F 37
igh Vw. *Woot* 5D 20
ighwoods. *Syw* 5G 5
ilberry Ri. *North* 3G 11
ilary Rd. *Rush* 4D 36
ill Clo. *Lodge F* 5D 6
illcrest Av. *North* 4F 9
illdrop Rd. *North* 4H 19
ill Farm Ri. *North* 4G 19
illside Rd. *North* 4C 28
illside Way. *North* 1H 15
ill, The. *North* 1B 22
ind Stile. *High F* 6F 31
inton Clo. *North* 2B 8
inton Rd. *North* 2B 8
irondelle Clo. *North* 6A 6
obby Clo. *North* 3A 20
odnet Clo. *North* 4B 20
olbein Gdns. *North* 3F 19
olbush Way. *Irth* 1A 30
olcot Clo. *Well* 3G 27
olcot La. *Syw* 1G 5
olcot Rd. *Moul* 1H 3
olcutt Clo. *North* 4E 21
oldenby Rd. *North* 3C 8
ollies, The. *Moul* 3G 3
ollies, The. *Well* 1G 33
ollingside Dri. *North* 4E 9
ollow Bank. *Moul* 1H 9
ollowell Ct. *Well* 1H 33
olly Lodge Dri. *North* 2B 8
ollyoak Ter. *North* 6A 10
olly Rd. *North* 1E 15
olly Rd. *Rush* 2C 36
olman Clo. *North* 5A 10
olme Clo. *Well* 2G 27
olmecross Rd. *North* 2B 10
olmfield Way. *North* 1H 15
olmwood Clo. *North* 6B 6
olyrood Rd. *North* 2G 13
ome Clo. *Blis* 6A 24
ome Farm Clo. *L Bil* 1E 17
omeleigh Clo. *North* 2D 12
omestead Clo. *Moul* 4A 4
omestead Ct. *North* 6D 8
omestead Ri. *Woot* 5D 20
omestead Way. *North* 6D 8
oneysuckle Way. *North* 3H 15
onister Grn. *North* 4H 9
ood St. *North* 2D 14
opes Rd. *K'thpe* 4A 8
opmeadow Ct. *North* 3E 11
opping Hill Gdns. *North*
. . . . .6D 6
ornbeam Clo. *Well* 6G 27
ornbeam Ct. *North* 4A 10
ornby Rd. *Earls B* 4A 32
orse Mkt. *North* 4B 14
orsemoor Sq. *North* 5F 11
orse Shoe Cotts. *Syw* 2H 5
orseshoe St. *North* 4B 14
orsewell Ct. *Moul* 6H 3
orsley Rd. *North* 6B 8
orton Rd. *Braf G* 2G 23
oughton Hill. *Hard* 2E 21
ove Rd. *Rush* 3G 37
oward Biley Gdns. *North*
. . . . .4H 9
oward Ct. *Well* 6B 28
(off Mill Rd.)
oward La. *Bou* 6B 2
oxton Clo. *North* 1A 10
oylake. *Well* 4E 27
oylake Dri. *North* 4E 9
udson Dri. *North* 2E 19
ulme Way. *Well* 4G 27
umber Clo. *North* 5F 7
umber Gdns. *Well* 5E 27
umfrey La. *Bou* 5B 2
unsbarrow Rd. *North* 5F 13
unsbury Clo. *North* 2F 19
unsbury Grn. *North* 1F 19
unsbury Hill Av. *North* 6F 13
unsbury Hill Rd. *North* 1F 19
unsbury Wlk. *North* 6G 13
unslet La. *North* 2E 19
unters Clo. *North* 1C 8
unter St. *North* 2C 14
untsham Clo. *North* 2A 16
untsmead. *North* 3G 11
uxley Clo. *North* 1C 32
uxloe Ri. *North* 1B 10
yacinth Way. *Rush* 6G 37
ybiscus Clo. *North* 3H 15

I

Ibstock Clo. *North* 1D 10
Icknield Dri. *North* 2F 19
Ilex Clo. *Hard* 2E 21
Inglewood Ct. *North* 6F 11
(in two parts)
Irchester Cvn. Site. *Irch* 5D 34
Irchester Rd. *Rush* 3C 36
Irondale Clo. *North* 6F 13
Ironstone La. *North* 6F 13
Irthlingborough Rd. *Well*
. . . . .2B 34
Ise Valley Ind. Est. *Well* 3C 28
Isham Clo. *North* 2C 8
Ivy Rd. *North* 1E 15
Ixworth Clo. *North* 2C 10

J

Jackdaw Clo. *Crow L* 1F 17
Jacklin Ct. *Well* 4E 27
Jackson's La. *Well* 1H 33
James Lewis Ct. *North* 5H 9
James Rd. *Well* 3A 34
James St. *Irch* 6H 35
Jardine Rd. *North* 6A 10
Jarretts Yd. *North* 5D 20
Jasmine Rd. *North* 2F 11
Jasper Wlk. *North* 1A 10
Javelin Clo. *North* 1D 12
Jenner Cres. *North* 4H 3
Jersey Clo. *Well* 5B 28
Jersey Clo. *North* 6C 10
Jeyes Clo. *Moul* 4G 3
Jeyes Jetty. *North* 4B 14
Joan Pyel Clo. *Irth* 3C 30
John Bowen Jones Bus. Pk. *Blis*
. . . . .3A 24
John Pyel Rd. *Irth* 3C 30
John St. *Rush* 3F 37
John White Clo., The. *High F* 5G 31
Joshua Sq. *North* 1G 19
Jubilee Clo. *North* 6G 13
Jubilee Cres. *Well* 3H 33
Jubilee Ho. *North* 5B 10
Jubilee St. *Irth* 1C 30
Julian Way. *North* 4H 7
Junction Rd. *North* 6D 8
Juniper Ct. *North* 4G 11

K

Kealdale Rd. *North* 3F 9
Keats Clo. *Earls B* 5B 32
Keats Clo. *Gt Hou* 2C 22
Keats Rd. *Well* 1F 33
Keats Way. *High F* 6E 31
Keats Way. *Rush* 2C 36
Kedleston Clo. *North* 3B 20
Kelburn Clo. *North* 4A 20
Kelmscott Clo. *North* 2D 10
Kelsall Clo. *North* 1C 12
Kendal Clo. *North* 4A 10
Kendal Clo. *Rush* 4H 37
Kendal Rd. *Well* 5E 27
Kenilworth Clo. *North* 1C 12
Kenilworth Clo. *North* 4G 37
Kenmuir Av. *North* 5E 9
Kenmuir Cres. *North* 5E 9
Kenmuir Gdns. *North* 5E 9
Kennet Clo. *Well* 5E 27
Kennet Grn. *North* 5G 7
Kensington Clo. *Rush* 2C 36
Kent Clo. *North* 3D 12
Kentford Clo. *North* 3A 20
Kent Rd. *North* 2B 12
Kent Rd. *Rush* 2G 37
Kent Rd. *Well* 4H 33
Kentstone Clo. *North* 2G 7
Kerrfield Est. *North* 2C 12
Kestrel Clo. *North* 6A 10
Kestrel La. *Well* 4A 28
Keswick. *North* 6D 26
Keswick Dri. *North* 3H 9
Keswick Dri. *Rush* 2H 37
Kettering Gdns. *North* 3D 14
Kettering Rd. *Moul* 4B 4
Kettering Rd. *North & Spin H* 3D 14
Kettering Rd. N. *North* 2H 9
Keyham Ct. *North* 2D 10
K.G. Bus. Cen. *North* 6G 7
Kilborn Rd. *North* 5F 27
Kilburn Clo. *Well* 4G 27
Kilburn Pl. *Rush* 1F 37

Kilby Clo. *Well* 2G 33
Kilnway. *Well* 6F 27
Kilvey Rd. *Brac I* 1F 21
Kimble Clo. *North* 3A 20
Kimbolton Rd. *High F* 5G 31
King Cup Clo. *Rush* 6G 37
King Edward Rd. *North* 2F 15
Kingfisher Clo. *North* 4H 19
Kingfisher Dri. *Syw* 5F 5
King Richard St. *North* 5B 20
Kings Av. *High F* 4G 31
Kingscroft Clo. *North* 6F 11
Kingscroft Wlk. *North* 5F 11
Kingsfield Bus. Pk. *North* 6H 7
Kingsfield Clo. *K Hth* 6G 7
Kingsfield Way. *K Hth* 6G 7
Kingsland Av. *North* 4B 8
Kingsland Clo. *North* 4C 8
Kingsland Gdns. *North* 4B 8
Kingsley Gdns. *North* 6D 8
Kingsley Pk. Ter. *North* 6E 9
Kingsley Rd. *North* 5C 8
Kingsmead. *North* 2H 7
Kings Mdw. La. *High F* 3E 31
King's Pk. Rd. *Moul I* 1E 9
King's Pl. *Rush* 3G 37
King's Rd. *Rush* 3G 37
Kings St. *Well* 6A 28
Kingsthorpe Gro. *North* 5B 8
Kingsthorpe Ho. *North* 2C 8
Kingsthorpe Rd. *North* 5B 8
Kingsthorpe Shop. Cen. *North* 4B 8
King St. *Earls B* 4A 32
Kingsway. *North* 3H 7
Kingsway. *Well* 2F 33
Kingswell Rd. *North* 4A 8
Kingswell St. *North* 4B 14
Kinross Clo. *North* 3F 9
Kirby Clo. *Woot* 4E 21
Kirkstone Wlk. *North* 3H 9
Kirton Clo. *North* 3E 11
Kislingbury Rd. *Roth* 4A 18
Kites Clo. *North* 3H 19
Knaphill Cres. *North* 5G 13
Knightlands Rd. *Irth* 1B 30
Knightley Rd. *North* 6B 8
Knighton Clo. *North* 4B 6
Knightscliffe Way. *North* 6E 7
Knights Clo. *Earls B* 5A 32
Knights Ct. *L Bil* 6E 11
Knights Ct. *Well* 6H 27
Knight's La. *North* 4A 8
Knowle Clo. *North* 3H 15
Knowles Clo. *Rush* 2H 37
Knox Rd. *Well* 1B 34
Knuston Spinney. *Knu* 4B 36
Kyle Clo. *North* 6C 8
Kyoto Clo. *Moul I* 1F 9

L

Laburnum Clo. *Well* 6G 27
Laburnum Cres. *North* 5F 9
Laceby Wlk. *North* 1C 10
Ladder Maker Yd. *North* 3B 14
Ladybridge Dri. *North* 2E 19
Lady Hollows Dri. *North* 5F 21
Lady's La. *North* 3B 14
Ladywell Ct. *Well* 4A 28
(Linnet La.)
Ladywell Ct. *Well* 4A 28
(Robin La.)
Lady Winefride's Wlk. *Gt Bil* 5E 11
Lakeside. *Irth* 3B 30
Lakeside Dri. *North* 4G 11
Lakes, The. *North* 5H 15
Lakeview Grn. *North* 3H 9
Lake Wlk. *Col* 1F 25
Lambrook Dri. *North* 4B 20
Lancaster St. *High F* 5G 31
Lancaster Way. *North* 2H 19
Lancaster Way. *Rush* 2G 37
Lancum Ho. *North* 6G 27
Landcross Dri. *North* 2H 15
Landor. *Well* 1E 33
Landsdown Dri. *North* 5B 10
Lanercost Wlk. *North* 3H 9
Laneside Hollow. *North* 5B 20
Lane, The. *Roth* 5C 18
Langdale Rd. *North* 4C 8
Langford Dri. *Woot* 6C 20
Langham Pl. *North* 1B 14
Langley Clo. *North* 6F 13
Langsett Clo. *W Fav* 1A 16
Lapstone Ho. *North* 4H 13
Lapwing Clo. *North* 6F 19
Larch Clo. *Irch* 6F 35
Larch La. *North* 5B 6
Larchwood Clo. *Well* 6G 27

Larkhill. *Rush* 1E 37
Lark Ri. *North* 3D 10
Larwood Clo. *North* 2H 7
Lasham Ct. *North* 6F 11
Lasham Wlk. *North* 6E 11
Latymer Ct. *North* 3B 14
Lauderdale Av. *North* 1H 19
Launcelot Clo. *North* 2B 12
Laurel Ct. *North* 4B 10
Laurels, The. *Moul* 4G 3
Laurel Valley. *North* 1G 25
Laurence Leyland Complex. *Well*
. . . . .1D 34
Lavant Wlk. *North* 2E 9
Lavender Way. *Rush* 5G 37
Lavenham Clo. *North* 2C 10
Lawns, The. *North* 1F 13
Lawrence Ct. *North* 2B 14
Lawson Cres. *North* 6F 11
Lawton Rd. *Rush* 2G 37
Laywood Way. *North* 3C 30
Leafields. *North* 1C 16
Leah Bank. *North* 1H 19
Lea Rd. *North* 1E 15
Lea Way. *North* 1F 33
Leben Sq. *North* 2F 11
Ledaig Way. *North* 3F 9
Lees St. *Irth* 2C 30
Leicester Pde. *North* 1B 14
(off Barrack Rd.)
Leicester St. *North* 2B 14
Leicester Ter. *North* 2B 14
Leighton Pl. *Well* 1H 33
Leith Ct. *North* 6F 13
Lennox Wlk. *North* 5E 7
Leonard La. *Moul* 4H 3
Leslie Rd. *North* 2A 14
Letts Rd. *Roth A* 6A 14
Lewis Rd. *North* 2G 13
Lexden Clo. *Woot* 4E 21
Leyland Dri. *North* 2H 7
Leyland Vw. *Well* 1D 34
Leys Gdns. *Well* 5B 28
Leyside Ct. *North* 2E 11
Leys La. *Gt Hou* 2C 22
Leys Rd. *Earls B* 5A 32
Leys Rd. *Well* 6B 28
Leys, The. *North* 5A 8
Leyswell Ct. *North* 1D 16
Liberty Dri. *North* 6D 6
Lichfield Dri. *North* 4A 20
Liddington Way. *North* 2B 8
Lilac Ct. *Well* 6G 27
Liliput Rd. *Brac I* 6G 15
Lilley Ter. *North* 1D 30
Lime Av. *North* 6F 9
Lime Farm Way. *Gt Hou* 2C 22
Limefields Way. *North* 5C 20
Lime Gro. *Well* 4A 28
Limehurst Clo. *North* 6D 6
Limehurst Rd. *North* 1D 12
Limehurst Sq. *North* 6D 20
Limes, The. *North* 1D 30
Lime St. *Irth* 1D 30
Lime St. *Rush* 1F 37
Lime Ter. *Irth* 1D 30
Limoges Ct. *North* 5B 6
Linacre Clo. *North* 1C 10
Lincoln Rd. *North* 4H 13
Lincoln St. *North* 4B 8
Lindale Clo. *North* 4G 9
Linden Av. *High F* 4F 31
Linden Ct. *K'thpe* 4A 8
Linden Rd. *North* 6F 9
Lindisfarne Way. *North* 3B 20
Lindsay Av. *North* 1F 13
Lindsay Ter. *North* 6E 9
Lingfield Ter. *North* 6E 9
Lings Way. *North* 2D 10
Lingswood Pk. *North* 4D 10
Link Rd. *North* 1H 7
Link Rd. *Rush* 6F 37
Links Rd. *Fin R* 3C 28
Linley Grn. *North* 1E 13
Linnet Clo. *Well* 4A 28
Linnetts La. *High F* 6F 31
Lismore Clo. *Gt Bil* 5E 11
Lister Dri. *North* 2F 19
Lister Rd. *Well* 6A 28
Lit. Billing Way. *North* 5D 10
Lit. Cross St. *North* 3A 14
Littledale. *Well* 5F 27
Lit. Greeve Way. *Woot* 5F 21
Lit. Gull Clo. *North* 1C 10
Little La. *Blis* 5A 24
Little La. *Gt Hou* 1B 22
Lit. Park St. *Well* 4A 28
Lit. Stush. *North* 4G 37
Littlewood Clo. *North* 1H 13
Lloyd Clo. *Fin R* 3B 28

Loach Ct.—Newton Rd.

Loach Ct. *North* 1F 9
Lockcroft Sq. *North* 5G 11
Lockwood Clo. *North* 3B 8
Lodge Av. *Col* 1F 25
Lodge Clo. *L Hou* 6E 17
Lodge Clo. *North* 6C 6
Lodge Farm Ind. Est. *North* 4C 6
Lodge Rd. *L Hou* 5D 16
Lodge Rd. *Rush* 5E 37
Lodge Way. *Lodge F* 5C 6
Lodge Way. *Well* 4A 28
Lodore Gdns. *North* 4H 9
Logwell Ct. *North* 6C 10
Loire Clo. *New D* 5B 6
Lombardy Ct. *North* 4A 10
London End. *Earls B* 5A 32
London End. *Irch* 6H 35
London Rd. *Col* 6B 14
London Rd. *Well* 1A 34
Long Acre. *Braf G* 6G 17
Longacres. *North* 3A 20
Longacres Dri. *Irth* 1A 30
Longfellow Rd. *Well* 1D 32
Longford Av. *L Bil* 1D 16
Longland Ct. *North* 5G 9
Longland Rd. *North* 5G 9
Longleat Ct. *North* 3B 20
Long Mallows Ri. *North* 5F 11
Long Marsh Sq. *North* 1D 10
Longmead Ct. *North* 3E 11
Long Mdw. *Woot* 5F 21
Long Mynd Dri. *North* 1E 13
Longueville Ct. *North* 3B 10
Lordswood Clo. *Woot* 5E 21
Lorne Rd. *North* 2B 14
Lorraine Cres. *North* 2G 9
Lorraine Dri. *North* 2H 9
Loseby Clo. *Rush* 5E 37
Louise Rd. *North* 2C 14
Lovat Dri. *North* 2F 13
Lovell Ct. *Irth* 1D 30
Lowbury Ct. *North* 6F 13
Lwr. Adelaide St. *North* 2B 14
Lwr. Bath St. *North* 3A 14
Lwr. Cross St. *North* 3A 14
Lwr. Ecton La. *North* 1G 17
Lwr. Farm Rd. *Moul I* 6E 3
Lowergrass Wlk. *North* 6C 10
Lwr. Harding St. *North* 3B 14
Lwr. Hester St. *North* 2B 14
Lwr. Meadow Ct. *North* 2B 10
Lwr. Mounts. *North* 3C 14
Lwr. Priory St. *North* 2A 14
Lower Rd. *Mil M* 1B 24
Lwr. Thrift St. *North* 3E 15
Low Farm Pl. *Moul I* 6E 3
Low Greeve. *Woot* 5F 21
Lowick Clo. *Well* 4F 27
Lowick Ct. *Moul* 6H 3
Lowlands Clo. *North* 2F 11
Lowry Clo. *Well* 4G 27
Loxton Clo. *North* 6D 6
Loyd Rd. *North* 2F 15
Lucas Clo. *Irth* 3C 30
Ludlow Clo. *North* 6D 4
Lumbertubs La. *North* 2H 9
Lumbertubs Ri. *North* 2A 10
Lumbertubs Way. *North* 1A 10
Lunchfield Ct. Moul 4H 3
(off Lunchfield La.)
Lunchfield Gdns. *Moul* 4H 3
Lunchfield La. *Moul* 4H 3
Lunchfield Wlk. Moul 4H 3
(off Lunchfield Gdns.)
Lutterworth Rd. *North* 2F 15
Lydia Ct. *Rush* 3E 37
Lyle Ct. *Well* 4E 27
Lyncrest Av. *North* 2F 13
Lyncroft Way. *North* 6A 8
Lynford Way. *Rush* 5D 36
Lynmouth Av. *North* 2H 15
Lynton Av. *North* 1A 8
Lytham Clo. *North* 4D 8
Lytham Ct. *Well* 4E 27
Lyttleton Rd. *North* 2H 13
Lyveden Rd. *Brac I* 2F 21

M

McGibbon Wlk. *Irth* 3B 30
Maclean Clo. *North* 2H 15
MacMillan Way. *North* 3G 9
Macon Clo. *North* 6A 6
Magee St. *North* 2E 15
Magnolia Clo. *North* 3A 16
Maidencastle. *North* 4E 11
Main Rd. *Dus* 5C 6
Main Rd. *Far C* 6H 13
(in two parts)
Malcolm Dri. *North* 2F 13
Malcolm Rd. *North* 5E 9
Malcolm Ter. *North* 5F 9
Malham Ct. *Well* 5F 27
Mallard Clo. *Earls B* 4A 32
Mallard Clo. *High F* 3G 31
Mallard Clo. *North* 1G 19
Mallery Clo. *Rush* 2H 37
Mallory Wlk. *North* 2E 9
Malpas Dri. *North* 1C 12
Maltings, The. *Mil M* 1B 24
Malvern Clo. *Well* 4F 33
Malvern Gro. *North* 1E 13
Malzor La. *Mil M* 1B 24
Manfield Rd. *North* 2F 15
Manfield Way. *North* 2G 9
Manipur. *North* 3B 16
Manning Ct. *Moul* 6H 3
Manning Ri. *Rush* 4G 37
Manning Rd. *Moul* 6H 3
Manning St. *Rush* 4G 37
Mannington Gdns. *North* 4B 20
Mannock Rd. *Well* 2G 33
Manor Clo. *Gt Har* 1F 27
Manor Clo. *Irch* 5H 35
Manor Dri. *Irth* 1E 31
Manor Farm Rd. *Gt Bil* 5E 11
Manorfield Clo. *North* 1E 17
Manorfield Rd. *North* 1D 16
Manor Ho. Clo. *Earls B* 5A 32
Manor Rd. *Earls B* 4A 32
Manor Rd. *Moul* 5H 3
Manor Rd. *North* 4A 8
Manor Rd. *Pit* 1C 20
Manor Rd. *Rush* 6F 37
Manor Way. *High F* 6G 31
Mansard Clo. *West I* 3F 13
Mansion Clo. *Moul I* 1F 9
Manton Rd. *Irth* 1C 30
Manton Rd. *Rush* 4G 37
Maple Dri. *Well* 6G 27
Maple Rd. *Rush* 3G 37
Maple St. *North* 2B 14
Maple Wood. *Rush* 6F 37
Mapperley Dri. *North* 1C 16
Marble Arch. *North* 2B 14
Marchwood Clo. *North* 1C 10
Mare Fair. *North* 4A 14
Margaret Av. *Well* 3G 33
Margaret St. *North* 2C 14
Marjoram Clo. *North* 5C 20
Market Cross. *Irth* 1D 30
Market Sq. *High F* 6G 31
Market Sq. *North* 3B 14
Market Sq. *Well* 1A 34
Market St. *North* 2D 14
(in two parts)
Market St. *Well* 1A 34
Market Wlk. *North* 2D 14
Markham Clo. *North* 6D 6
Marlborough Av. *Well* 4F 27
Marlborough Rd. *North* 3H 13
Marlowe Clo. *North* 4A 20
Marlstones. *North* 1E 19
Marnock Sq. *North* 1G 19
Marquee Dri. *Riv B* 2C 16
Marriott Clo. *Irth* 3C 30
Marriott St. *North* 1B 14
Marseilles Clo. *North* 6A 6
Marsh La. *Irth* 1E 31
Marshleys Ct. *North* 2E 11
Marshwell Ct. *North* 1D 16
Martel Clo. *North* 1A 12
Martin Clo. *Rush* 1F 37
Martindale. *North* 2G 7
Martin's La. *Hard* 3C 20
Martins Yd. *North* 2A 14
Marwood Clo. *North* 2G 15
Masefield Clo. *Well* 1E 33
Masefield Dri. *Rush* 3C 36
Masefield Way. *North* 5D 8
Massey Clo. *Hard* 3D 20
Matchless Clo. *North* 6B 6
Mayfield Rd. *North* 4G 9
Mayor Hold. *North* 3B 14
Meadow Clo. *High F* 5E 31
Meadow Clo. *North* 5C 6
Meadow Clo. *Well* 4D 28
Meadow Dri. *High F* 5F 31
Meadow La. *L Hou* 5D 16
Meadows, The. *Well* 2G 27
Mdw. Sweet Rd. *Rush* 6F 37
Meadowvale. *Irth* 2D 30
Meadow Vw. *High F* 5E 31
Meadow Vw. *North* 1G 7
Meadow Wlk. *High F* 5E 31
Meadow Wlk. *Irth* 1D 30
Meadow Way. *Irth* 2D 30
Meadway. *North* 6A 10
Mears Ashby Rd. *Wilby* 4D 32
Medbourne Clo. *Moul* 6G 3
Medellin Hill. *North* 1C 10
Medinah Clo. *North* 6C 20
Medway Clo. *North* 5F 7
Medway Dri. *North* 5F 7
Medway Dri. *Well* 5E 27
Medwin. *Well* 1D 32
Meeting La. *Irth* 1D 30
Meeting La. *North* 2D 12
Melbourne Ho. *North* 3H 13
Melbourne La. *North* 3D 12
Melbourne Rd. *North* 3G 13
Melbourne St. *North* 3E 15
Melbourne Wlk. *North* 3E 15
Melbury La. *North* 4E 11
Melbury Pl. *North* 4D 10
Melchester Clo. *Hard* 4D 20
Meldon Clo. *North* 4B 20
Melloway Rd. *Rush* 3C 36
Melrose Av. *North* 2F 13
Meltham Clo. *North* 6C 10
Melton Rd. *Well* 6C 28
Melton Rd. N. *Well* 6B 28
Melville St. *North* 2E 15
Memorial Sq. *North* 3B 14
Mendip Rd. *North* 1E 13
Meon Way. *North* 1E 13
Mercers Row. *North* 4B 14
Mercia Gdns. *North* 6H 9
Mercury Dri. *Brac I* 1F 21
Mere Clo. *Braf G* 1G 23
Mere Clo. *North* 3A 20
Merefields. *Irth* 1A 30
Mere Way. *North* 2A 20
Merlin Gro. *North* 3A 20
Merrydale Sq. *North* 1D 10
Merryhill. *North* 1F 19
Mershe Clo. *Hard* 4E 21
Merthyr Rd. *North* 1H 13
Mescalero. *K'thpe* 3B 8
Meshaw Cres. *North* 2G 15
Mews, The. *W Fav* 1A 16
Micklewell La. *North* 1C 10
Middle Grass. *Irth* 1A 30
Middle Greeve. *Woot* 5F 21
Middlemarch. *North* 3E 11
Middle Mead Ct. *North* 6D 10
Middlemore. *North* 1C 10
Middleton Clo. *North* 2B 8
Middlewell Ct. *North* 6C 10
Midfield Ct. *North* 2B 10
Midland Bus. Cen. *High F* 5G 31
Midland Rd. *High F* 5G 31
Midland Rd. *Rush* 2E 37
Midland Rd. *Well* 1A 34
Milbury. *Earls B* 6B 32
Miles *Well* Ct. *North* 4A 10
Military Rd. *North* 2C 14
Millbank. *North* 5G 11
Millbrook Clo. *St James* 4H 13
Millerhill. *North* 1F 19
Millers Clo. *Rush* 3D 36
Millers La. *Well* 5H 33
Millers Pk. *Well* 4A 34
Mill Est. *Rush* 6F 37
Mill Fields. *High F* 3F 31
Mill La. *Dal & K'thpe* 1G 13
Mill La. *Sem* 2A 14
Mill Mdw. *North* 2C 8
Mill Rd. *North* 2B 14
Mill Rd. *Well* 6B 28
(in two parts)
Mill Rd. Ind. Est. *Well* 5D 28
Mills Clo. *Earls B* 5B 32
Millside Clo. *North* 2C 8
Millstone Clo. *North* 1E 19
Millway. *North* 3D 12
Milton Av. *Well* 2E 33
Milton Bri. *Woot* 5F 21
Milton Ct. *Mil M* 2B 24
Milton Rd. *L Irch* 4C 34
Milton St. *High F* 6F 31
Milton St. *North* 6D 8
Milton St. N. *North* 5D 8
Milverton Cres. *North* 2H 15
Minverva Way. *Well* 6F 27
Mitchell Clo. *North* 5E 7
Moat Pl. *North* 3A 14
Moffatt Ter. *Well* 6A 28
Monarch Rd. *North* 6B 8
Monarch Ter. *North* 1B 14
Monks Hall Rd. *North* 2E 15
Monks Pk. Rd. *North* 2E 15
Monks Pond St. *North* 3A 14
Monks Way. *Well* 2A 34
Monmouth Rd. *North* 2H 13
Montague Cres. *North* 5E 7
Montague St. *Rush* 3E 37
Montfort Clo. *North* 3F 13
Moore St. *North* 6E 9
Moorfield Sq. *North* 1D 10
Moorland Clo. *North* 5B 10
Moorlands. *Well* 4E 27
Moor Rd. *Rush* 2E 37
Moray Lodge. *North* 2C 12
Mordaunt La. *North* 6E 7
Moreton Av. *Well* 3F 33
Moreton Way. *North* 2B 8
Morgan Clo. *North* 3F 11
Morgan M. *North* 1G 19
Morris Av. *Rush* 4D 36
Morris Clo. *Park F* 5C 26
Morris Rd. *North* 4C 8
Mortar *Pit* Rd. *North* 2F 11
Mortimer Clo. *North* 1H 19
Mortons Bush. *Woot* 5E 21
Motspur Dri. *North* 6A 8
Moulton La. *Bou* 5B 2
Moulton Pk. Bus. Cen. *North* 1F 9
Moulton Pk. Ind. Est. *North* 1F 9
Moulton Rd. *Pit* 1C 2
Moulton Way. *North* 1G 9
Moulton Way N. *Moul* 1H 9
Moulton Way S. *Moul* 1H 9
Mountclair Ct. *North* 1B 16
Mountfield Rd. *Irth* 1B 30
Mountfield Rd. *North* 4F 9
Mt. Pleasant. *Earls B* 5B 32
Mounts Ct. *North* 4B 10
Muirfield Rd. *Well* 4E 27
Mulberry Clo. *North* 2G 13
Mulberry Clo. *Well* 6G 27
Mumford Dri. *Roth* 4B 18
Muncaster Gdns. *North* 4C 20
Murray Av. *North* 6C 8
Muscott La. *North* 3C 12
Muscott St. *North* 3H 13
Museum Way. *Riv B* 3C 16
Musgrave Clo. *Woot* 4E 21
Mushroom Fld. Rd. *North* 5G 11
Musson Clo. *Irth* 1C 30

N

Naomi Clo. *North* 6C 10
Napier Clo. *Well* 1C 32
Narrow La. *North* 3B 14
Naseby Clo. *Well* 4F 27
Naseby St. *North* 1B 14
Navigation Row. *North* 5B 14
Neale Clo. *North* 1A 16
Nelson St. *North* 2B 14
Nene Cen. *North* 1B 14
Nene Clo. *Well* 5E 27
Nene Ct. *Well* 2C 34
Nene Dri. *North* 5G 7
Nene Ri. *Cog* 3H 17
Nene Rd. *High F* 6F 31
Nene Valley Retail Pk. *North* 5A 14
Nene Valley Way. *North* 2C 20
Nene Vw. *Irth* 1D 30
Nene Wlk. *North* 5G 7
Nene Way. *North* 5G 7
Nene Way. *Upton* 5A 12
Nesbitt Clo. *North* 2B 16
Nest Farm Cres. *Well* 4A 28
Nest Farm Rd. *Well* 3A 28
Nest Farm Way. *Well* 4A 28
Nest La. *Well* 5B 28
Nether Jackson Ct. *North* 3E 11
Nether Mead Ct. *North* 3C 10
Nettle Gap Clo. *Woot* 5E 21
Newbury Clo. *Rush* 2H 37
Newby Ct. *North* 4H 9
Newcombe Rd. *North* 2H 13
Newcomen Rd. *Well* 6B 28
Newington Rd. *North* 3B 8
Newland. *North* 3B 14
Newland Sq. *North* 3B 8
Newland Wlk. North 3B 14
(off Grosvenor Shop Cen.)
Newman St. *High F* 4G 31
Newnham Rd. *North* 4C 8
Newport Pagnell Rd. *Hort* 5H 21
Newport Pagnell Rd. *Woot* 3C 20
Newport Pagnell Rd. W. *North* 3C 20
Newport Rd. *North* 2H 13
New Rd. *Woot* 5D 20
Newstead Clo. *North* 4G 11
Newstone Cres. *North* 5F 13
New St. *Earls B* 5B 32
New St. *Irch* 5H 35
New St. *Irth* 1D 30
New St. *Well* 6A 28
Newton Clo. *Park F* 5D 26
Newton Clo. *Rush* 4H 37
Newton Rd. *High F* 5H 31
Newton Rd. *North* 6D 6
Newton Rd. *Rush* 3F 37

Newtown Rd. *L Irch* 4C **34**
Newtown Rd. *North* 3E **15**
Nice Mans. *North* 5C **20**
Nicholas Rd. *Irth* 2C **30**
Nicholas Way. *Rush* 2D **36**
Nicholls Ct. *North* 2B **10**
Nielson Rd. *Fin R* 3C **28**
Nightingale La. *Well* 4B **28**
Niort Way. *Well* 5D **26**
Nippendale. *Rush* 3G **37**
Norfolk St. *North* 1B **14**
Norfolk Ter. *North* 1B **14**
Norman D Gate. *North* 4D **14**
Norman D Gate Ind. Est. *North*
...............................4D **14**
Norman Rd. *North* 6G **9**
Norman Way. *Irch* 5A **36**
Norman Way. *Well* 3F **33**
Normead Sq. *North* 5G **11**
Norris Way. *Rush* 2C **36**
Norris Way Ind. Est. *Rush* 2C **36**
Northampton La. N. *Moul* 5H **3**
Northampton La. S. *Moul* 1G **9**
Northampton Rd. *Blis* 4A **24**
Northampton Rd. *Cour* 6F **25**
Northampton Rd. *Earls B* 4A **32**
Northampton Rd. *Ecton* 3H **11**
Northampton Rd. *Rush* 2A **36**
Northampton Rd. *Well* 3E **33**
Northcote St. *North* 2A **14**
North End. *High F* 5F **31**
Northen Way. *Well* 3G **27**
Northfield Rd. *North* 6C **6**
Northfield Way. *North* 3A **8**
N. Heyes Ct. *North* 2C **10**
N. Holme Ct. *North* 2A **10**
N. Leys Ct. *Moul* 6H **3**
N. Oval. *North* 5G **7**
N. Paddock Ct. *North* 3C **10**
N. Portway Clo. *Rou S* 6C **4**
N. Priors Ct. *North* 5D **4**
North Rd. *Earls B* 4A **32**
North Rd. *Roth* 1E **9**
North St. *North* 5B **18**
North St. *Rush* 2F **37**
North St. *Well* 6H **27**
Northumbria Gdns. *North* 6G **9**
N. Western Av. *North* 3H **7**
Northwood Rd. *North* 5G **9**
Norton Rd. *North* 4B **8**
Notre Dame M. *North* 3C **14**
Nunn Mills Rd. *North* 5D **14**
Nurseries, The. *Moul* 4H **3**
Nursery Dri. *Well* 4B **28**
Nursery Gdns. *Irth* 1C **30**
Nursery La. *North* 5B **8**
Nuthall Clo. *North* 1C **16**

O

Oak Clo. *Irch* 6G **35**
Oakgrove Pl. *North* 5C **20**
Oakham Clo. *North* 1G **9**
Oakham Clo. *Rush* 5E **37**
Oakhill Dri. *North* 6A **10**
Oakleigh Dri. *North* 6D **6**
Oakley Dri. *Well* 1F **33**
Oakley Rd. *Rush* 2D **36**
Oakley St. *North* 2C **14**
Oakmont Clo. *North* 6B **20**
Oakpark Clo. *North* 1D **10**
Oakpits Way. *Rush* 4G **37**
Oaks Dri. *High F* 4F **31**
Oak St. *North* 2B **14**
Oak St. *Rush* 1F **37**
Oak Ter. *Irth* 1D **30**
Oak Vw. *Well* 2H **27**
Oak Way. *Irth* 1D **30**
Oakway. *Well* 4H **27**
Oakwood Rd. *North* 6E **9**
Oat Hill Dri. *North* 5G **11**
Obelisk Clo. *Bou* 5B **2**
Obelisk Ho. *North* 6B **2**
Obelisk Ri. *North* 6B **2**
Old Barn Ct. *North* 4C **10**
Old Bedford Rd. *North* 5G **15**
Oldenmead Ct. *North* 4C **10**
Old Quarry Ct. *North* 2F **11**
Old Towcester Rd. *North* 5B **14**
Old Vineyard, The. *High F* 5F **31**
Old Yew Ct. *North* 4A **8**
Oleander Cres. *North* 3F **11**
Oliver Clo. *Rush* 3G **37**
Oliver St. *North* 6D **8**
Olympia Clo. *North* 3A **20**
Olympic Way. *Well* 6E **27**
Oransay Clo. *Gt Bil* 5F **11**

Orchard Clo. *Mil M* 1B **24**
Orchard Clo. *Rush* 2D **36**
Orchard Clo. *Woot* 5D **20**
Orchard Cotts. *L Hou* 4D **16**
Orchard Grn. *North* 5H **9**
Orchard Hill. *L Bil* 6D **10**
Orchard Ho. *Well* 5A **28**
Orchard Pl. *Irch* 5G **35**
Orchard St. *North* 3H **13**
Orchard Ter. *Well* 1H **33**
Orchard Way. *Cog* 3H **17**
Orchard Way. *North* 3D **12**
Orient Way. *Well* 1A **34**
Orlingbury Rd. *Gt Har* 1F **27**
Orton Pl. *Well* 4F **27**
Orwell Clo. *North* 5E **27**
Osborn Clo. *Well* 2G **33**
Osborne Clo. *Rush* 1H **37**
Osborne Rd. *North* 5B **8**
Osler Clo. *North* 2A **8**
Osmund Dri. *North* 2D **10**
Osprey La. *Well* 4B **28**
Osprey Ri. *North* 3A **20**
Osprey Vw. *North* 3A **20**
Oswald Rd. *Rush* 3G **37**
Osyth Clo. *Brac I* 1F **21**
Oulton Ri. *North* 2E **9**
Oundle Dri. *Moul* 6G **3**
Ouse Clo. *Well* 5E **27**
Outlaw La. *Well* 6H **27**
Oval Cres. *Rush* 3H **37**
Oval Rd. *Rush* 4H **37**
Overleys Ct. *North* 2E **11**
Overmead Rd. *North* 5F **11**
Overslade Clo. *North* 3H **19**
Overstone Clo. *Moul* 4B **4**
Overstone Cres. *Over* 4E **5**
Overstone La. *Moul* 4B **4**
Overstone La. *North* 2E **11**
(in two parts)
Overstone Rd. *Moul* 4A **4**
Overstone Rd. *North* 3C **14**
Overstone Rd. *Syw* 3F **5**
Overstone Solarium Res. Pk. *Syw*
...............................5G **5**
Owen Clo. *Well* 6D **26**
Owen Ct. *Braf G* 6H **17**
Owen M. *Well* 6D **26**
Owl Clo. *Moul I* 6E **3**
Oxburgh Ct. *North* 3B **20**
Oxford Clo. *Earls B* 6B **32**
Oxford Ho. *Well* 1H **33**
Oxford St. *North* 6A **14**
Oxford St. *Well* 1H **33**
Oxford St. *Wym* 6E **37**
Oxwich Clo. *Brac I* 2F **21**

P

Paddock Mill Ct. *North* 3E **11**
Paddocks Rd. *Rush* 2C **36**
Paddocks Way. *L Bil* 6D **10**
Padwell Ct. *North* 1D **16**
Paget Clo. *Gt Hou* 1B **22**
Palk Rd. *North* 1B **34**
Palmer Clo. *Well* 4F **27**
Palmer Sq. *North* 6F **11**
Palmerston Rd. *North* 3D **14**
Palmerston Rd. *North* 3D **14**
Palm Rd. *Rush* 2C **36**
Parade Bank. *Moul* 4H **3**
Parade, The. *North* 3B **14**
Park Av. *Abing* 1F **15**
Park Av. *Dus* 6B **6**
Park Av. *Rush* 4D **36**
Park Av. N. *North* 5F **9**
Park Av. S. *North* 1F **15**
Park Clo. *Braf G* 1H **23**
Park Clo. *Earls B* 5A **32**
Park Clo. *North* 6B **6**
Park Clo. *Syw* 3G **5**
Park Cres. *Well* 6A **28**
Park Cres. E. *Well* 5G **7**
Park Cres. W. *North* 6G **7**
Park Dri. *North* 6G **7**
Park Farm Ind. Est. *Well* 5D **26**
(in two parts)
Park Farm Way. *Well* 2C **32**
Parkfield Av. *North* 1B **20**
Parkfield Cres. *North* 1B **20**
Park Hill Rd. *North* 4A **10**
Parklands. *Syw* 4G **5**
Parklands Av. *North* 3F **9**
Parklands Cres. *North* 3F **11**
Park La. *Earls B* 5A **32**
Park La. *North* 6B **6**
Park M. *Well* 6A **28**
Park Pl. *Rush* 2F **37**
Park Rd. *Irth* 2C **30**

Park Rd. *Rush* 3F **37**
Park Rd. *Well* 6A **28**
Parkside. *North* 5G **11**
Park Sq. *North* 5G **7**
Park St. *Earls B* 5A **32**
Park Vw. *Moul* 5B **4**
Park Vw. Clo. *Moul* 4B **4**
Park Wlk. *North* 6G **7**
Parkway. *North* 1A **16**
Parkwood St. *North* 3A **14**
Parracombe Way. *North* 2H **15**
Parsons Meade. *North* 1F **19**
Parsons Pde. *Irth* 1D **30**
Parsons Rd. *Irch* 5H **35**
Parva Ct. *North* 4B **10**
Partridge Clo. *North* 2H **7**
Pasteur Clo. *North* 2A **8**
Pastures, The. *North* 2H **7**
Pastures, The. *Well* 2G **27**
Paterson Rd. *Fin R* 3B **28**
Patterdale Wlk. *North* 3H **9**
Patterson Clo. *North* 6B **10**
Pavilion Dri. *North* 2E **21**
Paxford Clo. *Well* 4G **33**
Paxton Rd. *North* 3A **10**
Peace Clo. *North* 6G **13**
Peacock Pl. *North* 3C **14**
Peacock Way. *North* 3C **14**
Pearmain Av. *Well* 4H **27**
Pearmain Ct. *L Bil* 5D **10**
Pear Tree Clo. *L Bil* 5D **10**
Pebble La. *Well* 1A **34**
Pelham Ct. *North* 3A **10**
Pell Ct. *North* 4B **10**
Pemberton St. *Rush* 3E **37**
Pembroke Clo. *Rush* 4G **37**
Pembroke Cres. *North* 1H **13**
Pembroke Gdns. *North* 1H **13**
Pembroke Rd. *North* 1H **13**
Penarth Rd. *North* 1H **13**
Pen Ct. *North* 5C **14**
Pendered Rd. *Well* 4A **34**
Pendle Rd. *North* 1D **12**
Penfold Clo. *North* 3A **8**
Penfold Dri. *Gt Bil* 4E **11**
Penfold Gdns. *Gt Bil* 5F **11**
Penfold La. *Gt Bil* 4F **11**
Penistone Wlk. *L Bil* 6C **10**
Penistone Wlk. *North* 4B **10**
Pennard Clo. *Brac I* 1G **21**
Penn Gdns. *North* 4A **20**
Pennine Way. *North* 2E **13**
Pennycress Pl. *North* 6F **11**
Penrhyn Rd. *North* 6B **14**
Penrith Dri. *Well* 5F **27**
Penvale Rd. *North* 5A **20**
Peppercorn Way. *North* 5C **20**
Perceval Clo. *North* 6E **7**
Percy Rd. *North* 2E **15**
Peregrine Pl. *North* 3H **19**
Perkins Ct. *Well* 6A **28**
Perkins Rd. *Irth* 3C **30**
Perry St. *North* 2E **15**
Pershore Clo. *Well* 5G **33**
Pevensey Clo. *Rush* 4H **37**
Peverel's Way. *North* 3F **13**
Peveril Clo. *High F* 5G **31**
Peveril Rd. *North* 2D **12**
Pheasant Way. *North* 2H **7**
Philip Pk. *High F* 6F **31**
Philip Way. *High F* 4G **31**
Phippsville Ct. *North* 6E **9**
Phoenix St. *North* 3B **14**
Piccadilly St. *North* 1G **19**
Pie Corner. *Syw* 2G **5**
Pightles Ter. *Rush* 4G **37**
Pightles Wlk. *Rush* 4G **37**
Pike La. *North* 3B **14**
Pikemead Ct. *North* 3E **11**
Pilgrims Pl. *North* 1B **20**
Pilgrim Way. *Well* 2H **33**
Pilton Clo. *North* 2F **11**
Pindar Ri. *North* 1B **10**
Pindar Rd. *North* 3G **33**
Pine Av. *Syw* 4G **5**
Pine Clo. *Irch* 6G **35**
Pine Clo. *Rush* 5E **37**
Pine Copse Clo. *North* 5B **6**
Pine Cres. *Syw* 4G **5**
Pineham Av. *North* 1C **8**
Pine Ridge. *North* 6C **4**
Pine Trees. *North* 6A **10**
Pinewood Rd. *North* 4G **9**
Pipers Clo. *North* 1D **30**
Pippin Clo. *Cog* 4H **17**
Pippin Clo. *Rush* 2C **36**
Pippin Clo. *Well* 1H **33**
(off Hill St.)
Pippin La. *L Bil* 5D **10**

Pitsford Rd. *Moul* 3E **3**
Pitstone Rd. *North* 5F **13**
Pitt St. *Well* 1G **33**
Plantagenet Sq. *North* 1G **19**
Pleydell Gdns. *North* 1B **20**
Pleydell Rd. *North* 1B **20**
Plough La. *North* 1H **7**
Ploughmans Wlk. *North* 2A **8**
Plumtree Av. *Well* 4A **28**
Poachers Way. *North* 2A **8**
Poitiers Ct. *North* 6A **6**
Pond Bank. *Blis* 5A **24**
Pond Farm Clo. *North* 2D **12**
Pond Wood Clo. *Moul I* 1G **9**
Poole St. *North* 2C **14**
Pope Rd. *Well* 2E **33**
Poplar Clo. *Irch* 6G **35**
Poplar Clo. *Rush* 5E **37**
Poplar Ct. *North* 2A **10**
Poplar St. *Well* 6A **28**
Poppy Clo. *Rush* 5G **37**
Poppyfield Ct. *North* 3C **10**
Porlock Clo. *North* 1F **13**
Portchester Gdns. *North* 1B **16**
Portland Pl. *North* 2D **14**
Portland Rd. *Irth* 1B **30**
Portland Rd. *Rush* 3F **37**
Port Rd. *North* 5B **6**
Portstone Clo. *North* 5B **6**
Pound La. *Gt Bil* 5F **11**
Pound La. *Moul* 4G **3**
Poyntz Gdns. *North* 1F **13**
Poyntz La. *North* 1F **13**
Pratt Rd. *Rush* 3G **37**
Premier Way. *Irth* 3C **30**
Prentice Ct. *North* 2D **10**
Prescott Clo. *North* 3F **11**
Pressland Dri. *High F* 5G **31**
Prestbury Rd. *North* 6B **6**
Preston St. *North* 4B **10**
Prestwold Way. *North* 2E **11**
Primrose Hill. *North* 1B **14**
(off Kingsthorpe Rd.)
Primula Clo. *North* 3H **15**
Prince of Wales Row. *Moul* 4A **4**
Princess Clo. *North* 3G **15**
Princess Way. *Well* 3G **33**
Prince St. *Earls B* 4A **32**
Princes Wlk. *North* 3B **14**
(off Grosvenor Shop. Cen.)
Priors Clo. *Rush* 5D **36**
Priory Clo. *North* 3G **15**
Priory Rd. *Well* 2H **33**
Priory, The. *North* 3H **15**
Pritchard Clo. *North* 1F **11**
Probyn Clo. *North* 1D **10**
Promenade, The. *Well* 6G **27**
Prospect Av. *Irch* 6F **35**
Prospect Av. *Rush* 1F **37**
Provence Ct. *North* 6A **6**
Purbeck Rd. *Rush* 3B **36**
Purser Rd. *North* 1E **15**
Purvis Rd. *Rush* 3E **37**
Pyghtle, The. *Earls B* 4A **32**
Pyghtle, The. *Well* 5H **27**
Pyghtle Way. *North* 4H **19**
Pyket Way. *North* 1B **16**
Pytchley Ri. *Well* 2F **33**
Pytchley Rd. *Rush* 2D **36**
Pytchley St. *North* 3D **14**
Pytchley Vw. *Moul* 4A **4**
Pytchley Way. *North* 5C **6**

Q

Quantock Cres. *North* 1E **13**
Quarry Ho. *North* 5B **6**
Quarry Pk. Clo. *Moul I* 1G **9**
Quarry Rd. *North* 5C **6**
Quartercroft. *North* 5B **10**
Quarterstone. *North* 2E **19**
Quebec Rd. *North* 4D **20**
Queen Eleanor Rd. *North* 1A **20**
Queen Eleanor Ter. *North* 1B **20**
Queens Cres. *North* 5C **8**
Queensland Gdns. *North* 5B **8**
Queens Pk. Est. *North* 5A **8**
Queens Pk. Pde. *North* 5B **8**
Queen St. *Earls B* 4A **32**
Queen St. *Irth* 1C **30**
Queen St. *Rush* 3F **37**
Queen St. *Well* 1A **34**
Queensway. *High F* 6G **31**
Queensway. *Well* 1E **33**
Queenswood Av. *North* 3H **9**
Quernstone La. *North* 6F **13**
Quinton Rd. *Woot* 6D **20**
Quorn Clo. *North* 1F **33**

Quorn Rd. Rush 2D 36
Quorn Way. Graf S 2A 14

R

Racedown. Well 2D 32
Radstone Way. North 2B 8
Raeburn Rd. North 5D 8
Raglan Clo. Rush 4H 37
Raglan St. North 3D 14
Ragsdale Wlk. North 1A 10
Rainsborough Cres. North 5G 13
Raisins Fld. Clo. North 4F 11
Rakestone Clo. North 5C 20
Randall Rd. North 6D 8
Ranelagh Rd. Well 6B 28
Ransome Rd. North 6C 14
Ravensbank. Rush 1F 37
Ravens Cft. North 4H 19
Ravens Way. Crow L 1F 17
Rawley Cres. North 6B 6
Raymond Rd. North 2H 13
Raynsford Rd. North 6G 7
Rea Clo. North 4B 20
Rectory Ct. Rush 3F 37
Rectory Farm Rd. North 2F 11
Rectory La. Mil M 2B 24
Rectory Rd. Rush 2F 37
Redbourne Pk. Ind Est. North 6G 15
Redding Clo. Rush 6E 37
Redhill Way. Well 3G 27
Red Ho. Rd. Moul I 6E 3
Redland Dri. North 3H 7
Redruth Clo. North 2A 20
Redwell Rd. Well 5H 27
Redwing Av. Moul 1H 9
Redwood Clo. Irch 6G 35
Reedham Clo. North 6D 6
Reedhill. North 2F 19
Reedway. North 3F 9
Regal Ct. Rush 4G 37
Regent Sq. North 3B 14
Regent St. North 3B 14
Regent St. Well 6A 28
Reims Ct. New D 5B 6
Rennishaw Way. North 4E 9
Repton St. North 3A 10
Resthaven Rd. Woot 5C 20
Restormel Clo. Rush 4H 37
Retford Ct. North 3C 10
Reynard Way. North 1C 8
Reynolds Clo. Well 4H 27
Reynoldston Clo. Brac I 2H 21
Rhosili Rd. Brac I 2F 21
Ribble Clo. North 5G 7
Richmond Clo. Rush 5G 37
Richmond Ter. North 3A 14
Rickyard Rd. North 4A 10
Ride La. Pit 1B 2
Rides Ct. Moul 6H 3
Ridge, The. Gt Dod 6G 33
Ridgewalk. Gt Bil 4G 11
Ridge Wlk. W Fav 1B 16
Ridgeway. North 1H 15
Ridgeway. Well 4H 27
Riding, The. North 3C 14
Riley Clo. North 2F 11
Rillwood Ct. North 3B 10
Ring Way. North 6H 13
Ringwell Clo. Irth 1A 30
Ringwood Clo. North 2H 7
Ripon Clo. North 1H 19
Rise, The. North 4A 8
Riverside Way. North 4E 15
Riverstone Way. North 1D 18
(in two parts)
Riverwell. North 5G 11
Rixon Clo. North 6B 10
Rixon Rd. Fin R 3B 28
Roberts St. Rush 3G 37
Roberts St. Well 1G 33
Robert St. North 2C 14
Robinia Clo. North 6F 13
Robin La. Well 4A 28
Robinson Rd. Rush 3G 37
Rochelle Way. North 5B 6
Roche Way. Well 5H 27
Rockcroft Clo. North 5C 20
Rockingham Ct. Rush 5E 37
Rockingham Rd. North 1B 20
Rock St. Well 6H 27
Roe Rd. North 1E 15
Rokeby Wlk. North 6E 7
Roland Way. High F 5F 31
Roman Way. Irch 6H 35
Romany Rd. North 6D 8
Rookery La. North 1H 7
Rose Av. Rush 4D 36
Roseberry Av. North 3G 15

Rose Ct. Irch 5H 35
(off High St.)
Rosedale Rd. North 4C 8
Roseholme Rd. North 2F 15
Rosemoor Dri. North 4B 20
Rosenella Clo. North 6G 13
Rose Villa. North 4E 15
Rosgill Pl. North 5G 9
Rossette Clo. North 1D 12
Ross Rd. Wee R 3F 13
Rothersthorpe Av. Roth A 6H 13
Rothersthorpe Cres. Roth A 6H 13
Rothersthorpe Rd. Kis 3A 18
Rothersthorpe Rd. North 1G 19
Rothesay Rd. North 5E 9
Rothesay Ter. North 5E 9
Round Spinney Ind. Est. North 6B 4
Rowan Av. North 2H 9
Rowan Clo. Well 6G 27
Rowlandson Clo. North 6B 10
Rowlett Clo. High F 6G 31
Rowtree Rd. North 4G 19
Royal Ter. North 2B 14
Rubble Clo. Well 5F 27
Ruddington Clo. North 2B 16
Rudge M. North 1A 12
Rufford Av. North 2B 16
Runnymede Gdns. North 6C 10
Rushden Rd. Wym 6E 37
Rushmere Av. North 3G 15
Rushmere Cres. North 3G 15
Rushmere Rd. North 5F 15
Rushmere Way. Rush 1E 37
Rushmills. North 6G 15
Rushy End. North 5A 20
Ruskin Av. Well 1E 33
Ruskin Rd. North 3B 8
Russell Ct. Rush 3F 37
Russell Sq. Moul 1H 9
Russell Way. High F 5F 31
Russett Dri. L Bil 5D 10
Rutherford Dri. Park F 1C 32
Rutland Wlk. Moul 6G 3
Rycroft Clo. Well 6F 27
Rydal. Well 2D 32
Rydal Mt. North 4H 9
Rydalside. North 6G 13
Ryder Vw. Well 4E 27
Rydinghurst Stewart Clo. Moul 3G 3
Ryeburn Way. Well 6G 27
Ryebury Hill. Fin 1E 29
Rye Clo. Rush 5G 37
Ryehill Clo. Lodge F 5D 6
Ryehill Ct. North 5D 6
Ryehill Rd. North 4C 10
Ryeland Rd. Dus 1B 12
Ryeland Way. North 6B 6
Ryland Rd. Moul 5H 3
Ryland Rd. North 5D 8
Rylstone, The. Well 2D 32

S

Saddleback Rd. West I 3E 13
Saddlers Sq. North 1C 10
Saffron Clo. North 6C 20
Saffron Rd. High F 4F 31
(in two parts)
Sage Clo. North 3B 10
St Alban's Clo. North 4G 9
St Alban's Rd. North 4G 9
St Andrews Cres. Well 4G 33
St Andrew's Rd. North 4A 14
St Andrew's St. North 3B 14
St Barnabas St. Well 1G 33
St Benedict's Mt. North 2F 19
St Christopher's Wlk. North 2G 15
St Crispin Av. Well 3H 33
St Crispin Rd. Earls B 5B 32
St David's Rd. North 5B 8
St David's Rd. Rush 2B 36
St Dunstans Ri. North 2F 19
St Edmund's Rd. North 3D 14
St Edmund's St. North 3D 14
St Edmund's Ter. North 3D 14
St Emilion Clo. North 6A 6
St Francis Av. North 1H 13
St George's Av. North 1B 14
St Georges Pl. North 1B 14
(off Kingsthorpe Rd.)
St Georges St. North 2B 14
St George's Way. North 2D 36
St Giles Sq. North 4C 14
St Giles St. North 4C 14
St Giles Ter. North 3C 14
St Gregory's Rd. North 4A 10
St James' Clo. Rush 1F 37
St James Mill Bus. Pk. North 5G 13

St James' Mill Rd. North 4H 13
St James' Mill Rd. E. North 5A 14
St James' Pk. Rd. North 3H 13
St James' Retail Pk. North 5A 14
St James' Rd. North 3H 13
St John's Av. North 1B 8
St Johns Clo. Roth 5B 18
St John's St. North 4B 14
St John's St. Well 6H 27
St Julien Clo. New D 5B 6
St Katharine's Way. Irch 4G 35
St Katherine's Ct. North 3A 14
(off Castle Hill)
St Katherine's Sq. North 3B 14
St Leonard's Rd. North 4B 14
St Margarets Av. Rush 4D 36
St Margaret's Gdns. North 6G 7
St Mark's Clo. North 3C 36
St Marks Cres. North 1A 8
St Martins Clo. North 3B 8
St Mary's Av. Rush 4E 37
St Mary's Ct. North 3B 14
(off Horsemarket)
St Mary's St. North 3B 14
St Matthew's Pde. North 1E 15
St Michael's Av. North 2D 14
St Michael's Mt. North 2D 14
St Michael's Rd. North 3C 14
St Patrick St. North 2B 14
St Pauls Rd. North 1B 14
St Paul's Ter. North 1B 14
St Peter's Av. Rush 3D 36
St Peter's Gdns. W Fav 6A 10
St Peter's St. North 4A 14
St Peters Wlk. North 4B 14
St Peters Way. Cog 3H 17
St Peter's Way. North 1D 30
St Peter's Way. North 4A 14
St Peter's Way Retail Pk. North 4B 14
St Thomas Rd. Braf G 6G 17
Salcey St. North 1B 20
Salem La. Well 6H 27
Salisbury Rd. Well 6C 28
Salisbury St. North 1B 14
Sallow Av. North 4F 11
Salthouse Rd. Brac I 1F 21
Saltwell Sq. North 5F 11
Samwell Way. North 2E 19
Sanders Clo. Fin R 3B 28
Sanders Lodge Ind. Est. Rush 2B 36
Sanders Rd. Fin R 2A 28
Sandfield Clo. North 1G 9
Sandhill Rd. North 3H 13
Sandhills Clo. North 1A 8
Sandhills Rd. North 1A 8
Sandhurst Clo. North 3H 19
Sandiland Rd. North 5G 9
Sandover. North 5C 20
Sandpiper La. Well 4A 28
Sandringham Clo. North 2G 15
Sandringham Clo. Rush 4E 37
Sandringham Clo. Well 3F 33
Sandringham Rd. North 2F 15
Sandy Clo. Well 5H 27
Sandy Hill La. Moul 4B 4
Sandy La. Harp & North 3A 12
Sansom Ct. North 4A 10
Sarek Pk. North 4G 19
Sargeants La. Col 1F 25
Sartoris Rd. Rush 3D 36
Saruman La. North 1E 11
Sassoon Clo. Well 5D 26
Sassoon Ct. Well 5D 26
Sassoon M. Well 6D 26
Savill Clo. North 4B 20
Saxby Cres. Well 1C 34
Saxon Lodge. Earls B 5A 32
Saxon Ri. Earls B 6A 32
Saxon Ri. Irch 5A 36
Saxon Ri. North 2C 12
Saxon St. North 6G 9
Scarborough St. Irth 1C 30
Scarletwell St. North 3A 14
Scarletwell Ter. North 3A 14
Scarplands, The. North 3D 12
Scharpwell. Irth 1A 30
Scholars Ct. North 4C 14
School Hill. North 5H 35
School La. Irch 5G 35
School La. Moul 4H 3
School Rd. Irch 5G 35
School Way. North 5H 9
Scirocco Clo. North 1D 8
Scotia Clo. Brac I 1H 21
Scotney Clo. North 3B 20
Scotsmere. Irth 1A 30
Scott Rd. Well 2E 33
Seagrave Ct. North 2E 11
Seaton Dri. North 6C 10

Second Av. Well 2E 33
Sedgwick Ct. North 4C 10
Seedfield Clo. North 6B 10
Seedfield Wlk. North 1C 16
Selston Wlk. North 2A 16
Semilong Pl. North 2B 14
Semilong Rd. North 2B 14
Sentinel Rd. North 2F 19
Senwick Dri. Well 1C 34
Senwick Rd. Well 1C 34
Severn Clo. Well 5E 27
Severn Dri. North 5G 7
Seymour St. North 3H 13
Shadowfax Dri. North 2E 11
Shakespeare Rd. North 2D 14
Shakespeare Rd. Rush 3C 36
Shakespeare Av. Well 2D 32
Shale End. North 4B 6
Shannon Clo. Rush 2H 37
Shap Grn. North 3H 9
Sharman Rd. North 5B 20
Sharman Rd. North 4H 13
Sharman Rd. Well 1H 33
Sharrow Pl. North 5G 11
Sharwood Ter. Irch 5G 35
Shatterstone. North 5C 20
Shaw Clo. Park F 6D 26
Sheaf Clo. Lodge F 5C 6
Shearwater La. Well 4A 28
Shedfield Way. North 5B 20
Sheep St. North 3B 14
Sheep St. Well 1A 34
Sheerwater Dri. North 4G 11
Sheffield Way. Earls B 6A 32
Shelford Clo. North 2E 11
Shelley Dri. High F 6E 31
Shelley Rd. Well 1D 32
Shelley St. North 6E 9
Shelsley Dri. North 3E 9
Shepherd Clo. North 2H 7
Shepperton Clo. Gt Bil 5F 11
Sheraton Clo. North 5H 9
Sheriff Rd. North 2E 15
Sherwood Av. North 1G 7
Sherwood Clo. Rush 2A 36
Shire Pl. North 2E 11
Shirley Rd. Rush 2F 37
Shoal Creek. North 6B 20
Short La. Well 6H 27
Short Stocks. Rush 2H 37
Shurville Clo. Earls B 6B 32
Siddons Way. Moul 4A 4
Sidebrook Ct. North 2C 10
Sidegate La. Well 2E 29
Sidings, The. Irth 3B 30
Silverdale Gro. North 3C 36
Silverdale Rd. North 5A 10
Silverstone Clo. North 2C 8
Silver St. North 3B 14
Silver St. Well 1A 34
Simon's Wlk. North 3B 14
Simpson Av. High F 4G 31
Sinclair Dri. Park F 5C 26
Sir John Pascoe Way. North 1D 12
Siward Vw. North 5E 7
Six Acre Wlk. North 5F 11
Skawle Ct. North 4C 10
Skelton Wlk. North 3H 9
Sketty Clo. Brac I 2H 21
Skiddaw Wlk. North 3H 9
Skinner Av. Upton 4E 13
Skinners Hill. Rush 3F 37
Skipton Clo. North 4A 20
Sladeswell Ct. North 1C 16
Slaters Clo. Rush 3H 37
Slips, The. Gt Har 1G 27
Slipton Wlk. North 2F 11
Smithy, The. North 6B 10
Smyth Ct. North 4B 10
Snapewood Wlk. North 3F 11
Snetterton Clo. North 3E 9
Snowball Sq. North 5F 11
Somerford Rd. Well 5G 27
Somerset St. North 2C 14
Sotheby Ri. North 4G 11
Southampton Rd. North 6C 14
S. Bern. North 6H 13
S. Bridge Rd. North 6H 13
South Clo. Rush 4G 37
S. Copse. North 4A 20
Southcourt. Moul 6G 3
Southcrest. North 2F 19
Southfield Av. North 6C 14
Southfield Rd. North 2C 14
Southfields. North 4G 33
S. Holme Ct. North 1D 16
Southfields Ho. North 1D 16
S. Oval. North 6G 7
S. Paddock Ct. North 3C 10
South Pk. Rush 4F 3

S. Portway Clo. *Rou S* 1C **10**
S. Priors Ct. *North* 4D **10**
South St. *North* 3E **15**
South Ter. *North* 3E **15**
Southwood Hill. *North* 1G **19**
Spanslade Rd. *North* 6D **10**
Sparke Clo. *Well* 4F **27**
Spectacle La. *Moul* 3E **3**
Spelhoe St. *North* 1C **10**
Spencer Bri. Rd. *North* 3H **13**
Spencer Clo. *Earls B* 5B **32**
Spencer Ct. *Rush* 3E **37**
Spencer Haven. *North* 2H **13**
Spencer Pde. *North* 3C **14**
Spencer Rd. *Irth* 2C **30**
Spencer Rd. *North* 2D **14**
Spencer Rd. *Rush* 1E **37**
Spencer St. *North* 4H **13**
Spenfield Ct. *North* 4C **10**
Spey St. *North* 5E **27**
Spinney Clo. *Bou* 6B **2**
Spinney Clo. *North* 3D **36**
Spinney Dri. *Col* 1F **25**
Spinney Hill Cres. *North* 3F **9**
Spinney Hill Rd. *North* 3E **9**
Spinney La. *Wilby* 3E **33**
Spinney Rd. *Irth* 1D **30**
Spinney Rd. *North* 1G **9**
Spinney Rd. *Rush* 4D **36**
Spinneyside. *North* 3D **10**
Spinney Ter. *Irth* 1D **30**
Spinney Way. *North* 3F **9**
Sportsmans Clo. *Cog* 3H **17**
Springbanks Way. *North* 3A **20**
Spring Clo. *Bou* 4B **2**
Springer Straight. *North* 6G **13**
Springfield. *North* 3A **16**
Springfield. *Woot* 4D **20**
Springfield Ct. *North* 4C **10**
Springfield Rd. *Rush* 5G **37**
(in two parts)
Spring Gdns. *Earls B* 5B **32**
Spring Gdns. *High F* 5F **31**
Spring Gdns. *North* 4C **14**
Spring Gdns. *Well* 1H **33**
Spring Ho. *Well* 1H **33**
(off Wood St.)
Spring La. *North* 3A **14**
Spring La. *Well* 1A **34**
Springs, The. *North* 6H **13**
Spring St. *Irth* 1D **30**
Spring Ter. *Irth* 1D **30**
Springwood Ct. *North* 2C **10**
Spur Rd. *Well* 4H **33**
Spyglass Hill. *North* 5A **20**
Square, The. *Earls B* 5A **32**
Square, The. *Pit* 1B **2**
Squires Wlk. *North* 4G **9**
Squirrel La. *North* 2D **12**
Stable Ct. *North* 4B **8**
Stafford Pl. *Moul I* 6E **3**
Stagshaw Clo. *North* 3B **20**
Staines Clo. *North* 3F **13**
Standens Barn Rd. *North* 1C **16**
Standing Stones. *Gt Bil* 4E **11**
Stanfield Rd. *North* 3D **12**
Stanford Way. *North* 3B **20**
Stanhope Rd. *North* 6B **8**
Stanley M. *Well* 6B **28**
Stanley Rd. *North* 3H **13**
Stanley Rd. *Well* 6B **28**
Stanley St. *North* 1B **14**
Stanton Av. *North* 3F **9**
Stanton Clo. *Fin R* 3A **28**
Stanwell Way. *North* 2E **33**
(in two parts)
Stanwick Rd. *High F & Stan* 4G **31**
Starmers Yd. *North* 2D **12**
Station App. *Rush* 2F **37**
Station M. *Gt Bil* 5F **11**
Station Rd. *Blis* 4A **24**
Station Rd. *Cog* 3G **17**
Station Rd. *Earls B* 5A **32**
Station Rd. *Gt Bil* 6F **11**
(in two parts)
Station Rd. *Irch* 5H **35**
Station Rd. *Irth* 1D **30**
(in two parts)
Station Rd. *L Hou* 5D **16**
Station Rd. *Rush* 3E **37**
Steele Rd. *Well* 1F **33**
Steene St. *North* 3H **13**
Stenson St. *North* 3H **13**
Stephen Bennett Clo. *North* . . .1D **12**
Sterling Clo. *Moul* 4H **3**
Stevens Ct. *Earls B* 4B **32**
Stevenson St. *North* 1B **20**
Stewarts Rd. *Fin R* 2A **28**
Stimpson Av. *North* 1E **15**

Stirling St. *North* 3G **13**
Stockley St. *North* 3G **13**
(in two parts)
Stockmead Rd. *North* 1D **16**
Stocks Hill. *Moul* 4H **3**
(off Cross St.)
Stockwell Av. *Woot* 6C **20**
Stockwell Rd. *Mil M* 1C **24**
Stockwell Way. *Mil M* 1C **24**
Stoke Firs Clo. *Woot* 5E **21**
Stoke Rd. *Blis* 6A **24**
Stonebridge Ct. *North* 4C **10**
Stonebridge La. *H'wck* 1C **26**
Stone Circ. Rd. *Rou S* 1A **10**
Stone Hill Ct. *North* 4A **10**
Stonelea Rd. *Syw* 2G **5**
Stoneleigh Chase. *North* 6E **7**
Stone Way. *North* 2C **12**
Stonewold Clo. *North* 3H **7**
Stoneyhurst. *North* 6G **13**
Stourhead Dri. *North* 4B **20**
Stour Rd. *North* 3G **13**
Stourton Clo. *North* 4F **33**
Stow Clo. *Well* 4F **33**
Stowe Wlk. *North* 2E **9**
Stratford Dri. *Woot* 5C **20**
Stratton Clo. *North* 2A **16**
Strawberry Hill. *North* 4F **11**
Straws Clo. *Irth* 2C **30**
Straws Yd. *Irth* 2C **30**
Streambank Rd. *North* 1B **10**
Streatfield Rd. *North* 1H **13**
Streeton Way. *Earls B* 4A **32**
Strelley Av. *North* 1C **16**
Strode Rd. *Well* 6B **28**
Stuart Clo. *North* 4G **19**
Stubble Clo. *North* 4H **7**
Stubbs Clo. *Well* 4H **27**
Studland Rd. *North* 6A **8**
Sulby Rd. *North* 1B **10**
Sulgrave Rd. *North* 2G **13**
Summerfields. *North* 1F **19**
Summerhouse Rd. *Moul I* 1F **9**
Summit Ri. *North* 4C **20**
Sunderland St. *North* 1H **33**
Sundew Ct. *North* 2E **19**
Sunningdale Clo. *North* 5D **8**
Sunny Side. *Earls B* 5A **32**
Sunnyside. *Ecton* 3H **11**
Sunnyside. *Woot* 5D **20**
Sunset Ct. *L Bil* 5D **10**
Sussex Clo. *North* 3D **12**
Sutton Clo. *North* 1C **10**
Swain Ct. *North* 4B **10**
Swale Dri. *North* 5G **7**
Swale Dri. *Well* 5E **27**
Swallow Clo. *North* 4B **8**
Swallow Rd. *Rush* 1F **37**
Swan La. *Well* 1A **34**
(off Midland Rd.)
Swansea Cres. *North* 2H **13**
Swansea Rd. *North* 1H **13**
Swansgate Cen., The. *Well* 1A **34**
Swans La. *Well* 1A **34**
(off Midland Rd.)
Swanspool Ct. *Well* 1A **34**
Swanspool Pde. *Well* 2A **34**
Swan St. *North* 4C **14**
Swans Way. *High F* 3G **31**
Swan Yd. *North* 4C **14**
Swinburne Rd. *Well* 1D **32**
Swinford Hollow. *L Bil* 1D **16**
Sycamore Clo. *Rush* 3G **37**
Sycamore Dri. *Syw* 5G **5**
Sycamore Rd. *North* 2D **12**
Sylmond Gdns. *Rush* 5D **36**
Sylvanus Rd. *Well* 6F **27**
Symington St. *North* 2B **8**
Syresham Way. *North* 2B **8**
Sywell Airport Bus. Pk. *Syw* 1H **5**
Sywell Av. *Well* 5F **27**
Sywell Rd. *Park F* 5A **26**
Sywell Rd. *Syw* 4C **4**
Sywell Way. *Well* 5F **27**

T

Taborley Clo. *North* 6C **10**
Talan Ri. *North* 2E **11**
Talavera Way. *North* 1H **9**
Talbot Rd. *North* 2D **14**
Talbot Rd. *Rush* 4D **36**
Talbot Rd. *Well* 6C **28**
Talbot Rd. N. *Well* 6C **28**
Tall Trees Clo. *North* 3G **19**
Tallyfield End. *North* 1H **33**
Tamar Clo. *North* 5F **7**
Tamarisk Dri. *Moul* 1H **9**

Tanfield La. *North* 4G **15**
Tanglewood. *North* 1G **25**
Tanner St. *North* 4B **14**
Tansy Clo. *North* 2E **19**
Tapeley Gdns. *North* 4C **20**
Tarn Cft. *North* 4C **9**
Tarragon Way. *North* 5C **20**
Tarrant Clo. *Moul* 4A **4**
Tarrant Way. *Moul* 4A **4**
Tate Gro. *Hard* 4D **20**
Tattersall Clo. *North* 3F **9**
Taunton Av. *North* 2H **15**
Tavistock Clo. *North* 5G **11**
Taylor Clo. *Well* 4E **27**
Teal Clo. *High F* 3G **31**
Teal Rd. *North* 3E **19**
Teal La. *Well* 4B **28**
Tebbutt's Yd. *Earls B* 5A **32**
Tees Clo. *Well* 5E **27**
Teesdale. *North* 1C **10**
Telford Way. *North* 5E **13**
Templar Dri. *North* 3H **7**
Temple Bar. *North* 2B **14**
Tenby Rd. *North* 1H **13**
Tennyson Clo. *North* 1G **13**
Tennyson Rd. *Rush* 3D **36**
Tennyson Rd. *Well* 2F **33**
Ten Pines. *North* 6C **4**
Tenter Clo. *High F* 6F **31**
Tenter Rd. *Moul I* 6E **3**
Teviot Clo. *North* 5F **7**
Tewkesbury Clo. *North* 2H **19**
Tewkesbury Clo. *Well* 5F **27**
Thames Rd. *North* 4B **20**
Thames Rd. *Well* 5E **27**
Thatchwell Ct. *North* 1C **16**
Thebwell Rd. *North* 6C **10**
Thenford St. *North* 3D **14**
Third Av. *North* 2F **33**
Thirlestane Cres. *North* 6A **14**
Thirlestane Rd. *North* 6A **14**
Thirlmere. *Well* 6E **27**
Thirlmere Av. *North* 4H **9**
Thistle Ct. *North* 6H **13**
Thistleholme Clo. *North* 4D **8**
Thomas Flawn Rd. *Irth* 3B **30**
Thomas St. *North* 2C **14**
(off Bailiff St.)
Thomas St. *Well* 6B **28**
Thorburn Rd. *North* 1B **16**
Thornapple Clo. *North* 4F **11**
Thornby Dri. *North* 4A **8**
Thornfield. *North* 3F **11**
Thorn Hill. *North* 6G **13**
Thornton Rd. *North* 6A **8**
Thorpe Clo. *Well* 6E **27**
Thorpe Rd. *Earls B* 6A **32**
Thorpe Rd. *North* 6B **14**
Thorpeville. *Moul* 6A **4**
Three Mile Wlk. *North* 4F **11**
Thrift St. *High F* 6F **31**
Thrift St. *Irch* 5G **35**
Thrupp Bri. *Woot* 5F **21**
Thrush La. *Well* 5A **28**
Thruxton Dri. *North* 3E **9**
Thursby Rd. *North* 2G **15**
Thurspit Pl. *North* 5G **11**
Thwaite Wlk. *North* 6D **10**
Thyme Ct. *North* 4B **10**
Tideswell Clo. *North* 3G **19**
Tiffany Gdns. *North* 5B **20**
Tinsley Clo. *North* 4E **11**
Tintagel Clo. *Rush* 5H **37**
Tintern Av. *North* 2H **13**
Tiptoe Clo. *North* 3F **11**
Tithe Barn Rd. *Well* 1A **34**
Tithe Barn Way. *Swan V* 3C **18**
Titley Bawk Av. *Earls B* 3B **32**
Tiverton Av. *North* 6A **2**
Tollbar. *High F* 6F **31**
Tollgate Clo. *North* 5A **8**
Tollgate Way. *North* 3E **13**
Toms Clo. *Col* 2F **25**
Tonmead Rd. *North* 3B **10**
Tonmead Wlk. *North* 4B **10**
Top Mdw. Wlk. *North* 4D **10**
Topwell Ct. *North* 6C **10**
Torrington Cres. *Well* 5G **27**
Torrington Grn. *Well* 5G **27**
Torrington Rd. *Well* 5F **27**
Torrington Way. *Well* 5G **27**
Touraine Clo. *New D* 5A **6**
Towcester Rd. *Mil M & North* . . .2B **24**
Tower Fld. Sq. *North* 1D **10**
Tower Hill Clo. *North* 6F **13**
Tower St. *North* 3B **14**
Townley Way. *Earls B* 4A **32**
Townsend Clo. *Well* 1H **33**
Townsend Leys. *High F* 3F **31**
Townwell La. *Irch* 5H **35**

Towton Ct. *North* 2H **19**
Trafford Rd. *Rush* 3G **37**
Treetops. *North* 6D **20**
Treetops. *North* 2D **10**
Trelawney. *Well* 6D **26**
Trent Clo. *North* 5F **7**
Trent Clo. *Well* 5E **27**
Tresham Grn. *North* 6E **7**
Trevor Clo. *North* 2F **13**
Trevor Cres. *North* 2F **13**
Trigg Ter. *Well* 1H **33**
Trimley Clo. *North* 3A **16**
Trinity Av. *North* 5C **8**
Trinity Cen. *Park F* 4C **26**
Triumph Gdns. *North* 1A **12**
Trojan Cen. *Fin N* 3A **28**
Troon Cres. *Well* 4E **27**
Troutbeck Wlk. *North* 3H **9**
Trussell Rd. *North* 6F **11**
Tudley Clo. *Woot* 4E **21**
Tudor Rd. *North* 5F **9**
Tudor Wlk. *Rush* 2G **37**
Tulip Dri. *Rush* 6F **37**
Turnberry Ct. *Well* 4E **27**
Turnberry La. *Col* 6B **20**
Turnbrook Clo. *Irth* 1A **30**
Turnells Mill La. *Den I* 4A **34**
Turner Rd. *Well* 4H **27**
Turner St. *North* 2E **15**
Turn Furlong. *North* 2H **7**
Twyford Clo. *L Bil* 1D **16**
Tyebeck Ct. *North* 4A **8**
Tyes Ct. *North* 4C **10**
Tyne Clo. *Well* 5E **27**
Tyne Rd. *Wee R* 3F **13**
Tyringham Clo. *North* 6A **10**

U

Ullswater Clo. *Well* 6E **27**
Umlow Clo. *North* 6F **13**
Underbank La. *Moul* 1H **9**
Union St. *North* 3C **14**
Upland Rd. *North* 5H **9**
Up. Bath St. *North* 3B **14**
Up. Cross St. *North* 3B **14**
Up. George St. *High F* 4G **31**
Up. Havelock St. *Well* 6A **28**
Up. Kings Av. *High F* 4G **31**
Up. Mounts. *North* 3C **14**
Up. Park Av. *Rush* 4D **36**
Up. Priory St. *Graf S* 2B **14**
Up. Queen St. *Rush* 2G **37**
Up. Thrift St. *North* 3E **15**
Uppingham St. *North* 2A **14**
Upton Clo. *North* 2C **8**
Upton Way. *North* 4E **13**
Usher Ho. *North* 2C **8**

V

Valemead Wlk. *North* 3D **10**
(in two parts)
Valentine Way. *Gt Bil* 4F **11**
Vale, The. *North* 6E **9**
Valley Cres. *L Bil* 6E **11**
Valley Rd. *L Bil* 6E **11**
Valley Rd. *Well* 3H **33**
Vantage Mdw. *North* 4G **11**
Vardon Clo. *Well* 4E **27**
Varley Clo. *Well* 3G **27**
Vaux Rd. *Fin R* 2A **28**
Velocette Way. *North* 6A **6**
Verdant Va. *North* 5C **20**
Vernon St. *North* 3E **15**
Vernon Ter. *North* 3E **15**
Vernon Wlk. *North* 3E **15**
Verwood Clo. *North* 2C **10**
Vicarage Clo. *North* 4H **7**
Vicarage Clo. *Well* 5F **27**
Vicarage Farm Rd. *Well* 5F **27**
Vicarage La. *North* 4H **7**
Vicarage Rd. *North* 2H **13**
Victoria Clo. *Earls B* 4A **32**
Victoria Clo. *Rush* 2F **37**
Victoria Ct. *Rush* 2F **37**
Victoria Gdns. *North* 4C **14**
Victoria Pk. *Den I* 3B **34**
Victoria Promenade. *North* 4C **14**
Victoria Rd. *Cog* 4H **17**
Victoria Rd. *North* 3D **14**
Victoria Rd. *Rush* 2F **37**
Victoria St. *North* 1A **34**
Victoria St. *Earls B* 4B **32**
Victoria St. *Irth* 2C **30**
Victoria St. *North* 3C **14**
Vienne Clo. *North* 1A **12**

Vigo Cres. *North* 4D **14**
Vigo Ter. *North* 4D **14**
Vincent Clo. *North* 1A **12**
Vine Hill Clo. *High F* 5E **31**
Vine Hill Dri. *High F* 5F **31**
Viscount Clo. *North* 1F **11**
Vivian Rd. *Well* 6B **28**
Vokes Clo. *L Bil* 6D **10**
Vyse Rd. *Bou* 6A **2**

W

Wade Mdw. Ct. *North* 3C **10**
Wade Mdw. Wlk. *North* 4C **10**
Wagtail Clo. *Moul* 6H **3**
Waingrove. *North* 3E **11**
Wakefield. *Well* 1E **33**
Wakefield Rd. *North* 3C **8**
Wakehurst Dri. *North* 4B **20**
Walgrave Clo. *North* 1E **17**
Walker Sq. *Well* 4E **27**
Wallace Gdns. *North* 5E **9**
Wallace Rd. *North* 5E **9**
Wallace Ter. *North* 5E **9**
Wallbeck Clo. *North* 3B **8**
Walledwell Ct. *North* 6C **10**
Wallingford End. *L Bil* 1D **16**
Wallis Clo. *North* 1C **32**
Walmer Clo. *Rush* 4H **37**
Walton Heath Way. *North* 4D **8**
Wansford Wlk. *North* 1B **10**
Wantage Clo. *Moul* 4B **4**
Wantage Rd. *Irch* 5H **35**
Wantage Rd. *North* 1F **15**
Wardington Ct. *North* 3A **8**
Wardlow Clo. *North* 3G **19**
Warmonds Hill. *High F* 6F **31**
Warnham. *Well* 6D **26**
Warren Clo. *Irch* 6A **36**
Warren Rd. *North* 2G **13**
Warrens Clo. *Irth* 1D **30**
Warren, The. *Hard* 4E **21**
Warwick Clo. *North* 1C **12**
Warwick Rd. *North* 3A **34**
Washbrook Clo. *L Bil* 6E **11**
Washbrook La. *Ecton* 2H **11**
Washbrook Rd. *Rush* 2E **37**
Washington St. *North* 4A **8**
Waterfowl Wlk. *North* 6E **11**
Watering La. *Col* 1F **25**
Water La. *Woot* 5D **20**
Waterloo Way. *Irth* 3B **30**
Waterloo Yd. *Well* 1H **33**
Watermeadow Dri. *North* 2C **10**
Waterpump Ct. *North* 2B **10**
Watersmeet. *North* 3G **15**
Waterview Wlk. *North* 2B **10**
Waterworks La. *Well* 4E **27**
Watkin Ter. *North* 2C **14**
Watson Clo. *North* 4E **27**
Waveney Way. *North* 6G **7**
Waverley Rd. *North* 6D **8**
Waypost Ct. *North* 4C **10**
Wayside Acres. *North* 3A **20**
Weavers Rd. *Well* 1F **33**
Weavers, The. *North* 4B **20**
Webbs La. *Syw* 2F **5**
Weddell Way. *Brac I* 1H **21**
Wedmore Clo. *North* 2E **13**
Weedon Rd. *Harp & Upton* 4A **12**
(in two parts)
Weedon Rd. Ind. Est. *North* 3F **13**
Weggs Farm Rd. *North* 1A **12**
Weir Clo. *Well* 5H **27**
Weldon Clo. *Well* 4F **27**
Welford Rd. *Chu B* 1G **7**
Welland Grn. *North* 5G **7**
Welland Wlk. *North* 5G **7**
Welland Way. *North* 5G **7**
Wellingborough Bus. Cen. *Well* . . .3B **34**

Wellingborough Rd. *Earls B* 4B **32**
Wellingborough Rd. *Gt Har* 1G **27**
Wellingborough Rd. *Irth* 4H **29**
Wellingborough Rd. *North & Ecton*
. . . . .3D **14**
Wellingborough Rd. *Rush* 2B **36**
Wellingborough Rd. *Syw* 2H **5**
Wellingborough Rd. *Well & Fin* . .3D **28**
Wellington Ho. *Well* 2C **34**
Wellington St. *North* 3C **14**
Wells Ct. *Moul* 5H **3**
Well Spring. *Blis* 6A **24**
Well Yd. *North* 4A **8**
Wenlock Way. *North* 1E **13**
Wensleydale. *North* 2G **7**
Wentworth Av. *Well* 5E **27**
Wentworth Rd. *North* 3E **37**
Wentworth Way. *North* 4D **8**
Wessex Way. *North* 6G **9**
West Bank. *North* 1B **10**
West Brook. *Blis* 5A **24**
Westbrook. *Well* 1D **32**
Westbury Clo. *North* 2E **13**
Westcott Way. *North* 2A **16**
West Cres. *Rush* 3C **36**
Westerdale. *North* 2G **7**
Western Vw. *North* 4A **14**
Western Way. *Well* 2F **33**
Westfield Av. *Rush* 3C **36**
W. Field Pl. *Rush* 3D **36**
Westfield Rd. *Dus* 1C **12**
Westfield Rd. *North* 3G **13**
Westfield Rd. *Well* 1G **33**
Westfields Av. *High F* 6F **31**
Westfields St. *High F* 6F **31**
Westfields Ter. *High F* 6F **31**
Westgate Ind. Est. *North* 3E **13**
Westgate Rd. *North* 3E **13**
Westlea Rd. *Syw* 2G **5**
Westleigh Clo. *North* 1E **15**
W. Leys Ct. *Moul* 6H **3**
W. Mead Ct. *North* 6C **10**
Westminster Rd. *Well* 5F **27**
Westone Av. *North* 6A **10**
Weston Favell Cen. *North* 5C **10**
Weston Mill La. *W Fav* 2B **16**
Weston Way. *North* 1H **15**
Weston Wharf. *North* 4B **14**
W. Oval. *North* 6G **7**
W. Paddock Ct. *North* 3C **10**
W. Priors Ct. *North* 3C **10**
W. Ridge. *North* 4C **8**
W. Rising. *North* 4C **20**
West St. *Earls B* 5A **32**
West St. *Ecton* 4H **11**
West St. *Moul* 4G **3**
West St. *North* 3E **15**
West St. *Rush* 3F **37**
West St. *Well* 1H **33**
West Vw. *L Irch* 4C **34**
Westvilla Cotts. *Well* 1H **33**
W. Villa Rd. *Well* 1H **33**
West Way. *Earls B* 4A **32**
Wetheral Clo. *North* 3H **9**
Whaddon Clo. *North* 2F **19**
Whalley Gro. *Cog* 3H **17**
Wharfe Grn. *North* 5G **7**
Wharf Rd. *High F* 5E **31**
Wheatcroft Gdns. *Rush* 3F **37**
Wheatfield Gdns. *North* 6G **9**
Wheatfield Rd. *North* 6G **9**
Wheatfield Rd. N. *North* 5G **9**
Wheatfield Rd. S. *North* 6G **9**
Wheatfield Ter. *North* 6G **9**
Whernside. *Well* 5F **27**
Whernside Way. *North* 1D **12**
Whilton Rd. *North* 3C **8**
Whistlets Clo. *North* 2E **19**
Whiston Rd. *North* 3C **8**
White Delves. *Well* 4G **27**
White Doe Dri. *Moul* 6H **3**

Whitefield Rd. *North* 6C **6**
Whitefriars. *Rush* 4C **36**
Whitegates. *North* 2E **19**
Whiteheart Clo. *North* 5E **11**
White Hills Cres. *North* 1A **8**
White Hills Way. *North* 1A **8**
White Ho. Ind. Est. *Earls B* 3A **32**
Whiteland Rd. *North* 5H **9**
Whitesands Way. *North* 1D **18**
Whites La. *New D* 4B **6**
Whites Ri. *North* 2C **30**
White Vw. *Rush* 3F **37**
White Way. *Earls B* 4A **32**
Whitfield Way. *North* 2C **8**
Whiting Ct. *Moul* 5H **3**
Whittemore Rd. *Rush* 2H **37**
Whittlebury Clo. *North* 2C **8**
Whittle Clo. *Park F* 5D **26**
Whittles Cross. *Woot* 5F **21**
Whitworth Cres. *Earls B* 4A **32**
Whitworth Rd. *North* 2E **15**
Whitworth Rd. *Well* 6C **28**
Whitworth Way. *Irth* 3C **30**
Whitworth Way. *Well* 3B **34**
Whytewell Rd. *Well* 5H **27**
Wickery Dene. *Woot* 5F **21**
Wilberforce St. *North* 3D **14**
Wilbye Grange. *Well* 3F **33**
Wilby La. *Gt Dod* 6F **33**
Wilby Pk. Mobile Home Pk. *Well*
. . . . .3E **33**
Wilby St. *North* 3E **15**
Wilby Way. *Well* 3F **33**
Wildacre Rd. *Rush* 3C **36**
Wildern La. *North* 6B **20**
Wilford Av. *North* 1C **16**
William Steele Way. *High F* 6G **31**
William St. *North* 2C **14**
Williams Way. *High F* 6F **31**
William Trigg Clo. *Irth* 3C **30**
Williton Clo. *North* 2A **16**
Willow Brook Sq. *North* 4G **11**
Willow Cres. *Gt Hou* 1B **22**
Willow Herb Clo. *Rush* 6G **37**
Willow La. *Gt Hou* 1B **22**
Willow Ri. *L Bil* 1E **17**
Willows, The. *North* 6G **15**
Wilson Cres. *Irth* 2C **30**
Wilson Rd. *Rush* 3E **37**
Wilson Way. *Earls B* 6A **32**
Wimbledon St. *North* 3H **13**
Wimborne Clo. *North* 4G **11**
Wimpole. *Well* 1E **33**
Winchester Clo. *North* 2B **20**
Winchester Rd. *North* 2B **20**
Winchester Rd. *North* 4G **37**
Windermere Dri. *Well* 6E **27**
Windermere Way. *North* 3H **9**
Windflower Pl. *North* 5G **11**
Windingbrook La. *Col* 6B **20**
Windmill Av. *Blis* 6A **24**
Windmill Banks. *High F* 4F **31**
Windmill Bus. Cen. *Rush* 3D **36**
Windmill Clo. *Well* 3G **33**
Windmill Rd. *Irth* 2C **30**
Windmill Rd. *Rush* 3E **37**
Windmill Ter. *North* 3C **8**
Windrush Rd. *Hard* 3E **21**
Windrush Way. *North* 6H **7**
Windsor Ct. *Gt Bil* 5F **11**
Windsor Cres. *North* 3F **13**
Windsor Ho. *North* 1D **12**
Windsor Rd. *Rush* 2G **37**
Windsor Rd. *Well* 4G **33**
Windyridge. *North* 4C **8**
Winnington Clo. *North* 2F **11**
Winsford Way. *North* 2A **16**
Winstanley Rd. *Well* 1B **34**
Winston Clo. *North* 2H **9**
Wisley Clo. *North* 4B **20**
Wisteria Way. *North* 3H **15**

Witham Grn. *North* 5F **7**
Witham Wlk. *North* 5G **7**
Witham Way. *North* 6G **7**
Witton Rd. *North* 1D **12**
Woburn Ct. *Rush* 5E **37**
Woburn Ga. *North* 4G **11**
Wollaston Rd. *Irch* 6F **35**
Wollaton Gdns. *North* 1C **16**
Woodavens Clo. *North* 2E **19**
Woodborough Gdns. *North* 1B **16**
Woodcote Av. *North* 3E **9**
Woodfields Wlk. *North* 2B **10**
Woodford St. *North* 3D **14**
Woodford Wlk. North *3D 14*
(off Woodford St.)
Woodhall Clo. *North* 2E **19**
Wood Hill. *North* 4C **14**
Woodhill Rd. *North* 6D **6**
Woodland Av. *North* 6F **9**
Woodland Av. *Over* 4E **5**
Woodland Clo. *North* 5C **6**
Woodland Rd. *Rush* 2E **37**
Woodlands Grange. *Earls B* 5C **32**
Woodlands Rd. *Irch* 6F **35**
Woodland Ter. *North* 1E **11**
Woodley Chase. *North* 6C **6**
Woodpecker Way. *North* 4G **19**
Woodrush Way. *Moul* 6H **3**
Woodside. *Syw* 4G **5**
Woodside Av. *North* 3A **10**
Woodside Cres. *North* 3A **10**
Woodside Grn. *North* 6G **7**
Woodside Wlk. *North* 6F **7**
Woodside Way. *North* 6F **7**
Woodstock. *North* 3D **14**
Woodstock Clo. *Well* 4G **27**
Wood St. *High F* 6G **3**
Wood St. *North* 3B **1**
(off Grosvenor Shop. Cen.)
Wood St. *Well* 1H **33**
Wooldale Rd. *North* 5F **2**
Woolmonger St. *North* 4B **14**
Wootton Hope Dri. *Woot* 4E **2**
Wootton Brook Clo. *North* 5B **26**
Wootton Hall Pk. *Woot* 3C **26**
Wootton Hill Farm. *North* 3G **19**
Worcester Clo. *North* 5E **11**
Wordsworth Rd. *Well* 2D **33**
Wray Wlk. *Rush* 4G **3**
Wrekin Clo. *North* 6F **1**
Wrenbury Rd. *North* 1A **12**
Wroe, The. *High F* 4F **3**
Wychwood Clo. *North* 6B **4**
Wyckley Clo. *Irth* 1A **3**
Wycliffe Rd. *North* 2F **1**
Wye Clo. *Well* 5E **2**
Wykeham Rd. *High F* 4G **3**
Wymersley Clo. *Gt Hou* 1C **2**
Wymington Pk. *Rush* 4F **3**
Wymington Rd. *Rush* 6F **3**
Wysall Rd. *North* 2D **1**

Y

Yardley Dri. *North* 1C
Yarrow. *Well* 2D **3**
Yarwell Sq. *North* 1G **1**
Yeldon Ct. *Fin R* 2B **2**
Yelvertoft Rd. *North* 4B
Yeoman Dri. *North* 2A
Yeoman Mdw. *North* 3G **1**
Yewtree Ct. *North* 2A **1**
York Av. *Cog* 4H **1**
York Clo. *High F* 4G **3**
York Rd. *High F* 4G **3**
York Rd. *North* 3C **1**
York Rd. *Rush* 4G **3**
York Rd. *Well* 6B **2**

Every possible care has been taken to ensure that the information given in this publication is accurate and whilst the publishers would be grateful to learn of any errors, they regret they cannot accept any responsibility for loss thereby caused.

The representation on the maps of a road, track or footpath is no evidence of the existence of a right of way.

The Grid on this map is the National Grid taken from Ordnance Survey mapping with the permission of the Controller of Her Majesty's Stationery Office.

Copyright of Geographers' A-Z Map Co. Ltd.

No reproduction by any method whatsoever of any part of this publication is permitted without the prior consent of the copyright owners.